PAYS SANS CHAPEAU
de Dany Laferrière
est le huitième ouvrage
publié chez
LANCTÔT ÉDITEUR
et le douzième de la
« petite collection lanctôt ».

D1155359

PAYS SANS CHAPEAU

Comment faire l'amour avec un nègre sans se fatiguer,
1985
Éroshima, 1987
L'odeur du café, 1991 (prix Carbet de la Caraïbe, 1991)
Le goût des jeunes filles, 1992
*Cette grenade dans la main du jeune nègre est-elle une
arme ou un fruit ?,* 1993
Chronique de la dérive douce, 1994
Pays sans chapeau, 1996
La chair du maître, 1997
Le charme des après-midi sans fin, 1997

Dany Laferrière

PAYS SANS CHAPEAU

roman

PCL / petite collection lanctôt

LANCTÔT ÉDITEUR
1660 A, avenue Ducharme
Outremont, Québec
H2V 1G7
Tél. : (514) 270.6303
Téléc. : (514) 273.9608
Adresse électronique : lanedit@total.net

Illustration de la couverture :
J.-R. Chéry, Enterrement à la campagne

Maquette de la couverture :
Folio infographie

Montage :
Édiscript enr.

Distribution :
Prologue
Tél. : (514) 434.0306 / 1.800.363.2864
Téléc. : (514) 434.2627 / 1.800.361.8088

Distribution en Europe :
Librairie du Québec
30, rue Gay-Lussac
75005 Paris
France
Téléc. : 43.54.39.15

Nous remercions le ministère du Patrimoine canadien et le Conseil des
arts du Canada de l'aide accordée à notre programme de publication.
Nous remercions également la Sodec, du ministère de la Culture et des
Communications du Québec, de son soutien.

Pays sans chapeau, c'est ainsi qu'on appelle l'au-delà en Haïti parce que personne n'a jamais été enterré avec son chapeau.

Les proverbes haïtiens qui sont mis en exergue à tous les chapitres de ce livre sont transcrits en créole plutôt étymologique que phonétique et traduits littéralement. De cette manière, leur sens restera toujours un peu secret. Et cela nous permettra d'apprécier non seulement la sagesse populaire, mais aussi la fertile créativité langagière haïtienne.

À ma mère qui n'a jamais quitté son pays,
même pour une minute, comme elle dit.

Trois feuilles
trois racines oh
jeté, blié
ranmassé, songé.

Chant folklorique

(Trois feuilles
trois racines oh
celui qui jette, oublie
celui qui ramasse, se rappelle.)

Chant folklorique

Un écrivain primitif

Il y a longtemps que j'attends ce moment : pouvoir me mettre à ma table de travail (une petite table bancale sous un manguier, au fond de la cour) pour parler d'Haïti tranquillement, longuement. Et ce qui est encore mieux : parler d'Haïti en Haïti. Je n'écris pas, je parle. On écrit avec son esprit. On parle avec son corps. Je ressens ce pays physiquement. Jusqu'au talon. Je reconnais, ici, chaque son, chaque cri, chaque rire, chaque silence. Je suis chez moi, pas trop loin de l'équateur, sur ce caillou au soleil auquel s'accrochent plus de sept millions d'hommes, de femmes et d'enfants affamés, coincés entre la mer des Caraïbes et la République dominicaine (l'ennemie ancestrale). Je suis chez moi dans cette musique de mouches vertes travaillant au corps ce chien mort, juste à quelques mètres du manguier. Je suis chez moi avec cette racaille qui s'entredévore comme des chiens enragés. J'installe ma vieille Remington dans ce quartier populaire, au milieu de cette foule en sueur. Foule hurlante. Cette cacophonie incessante, ce désordre permanent — je le ressens aujourd'hui — m'a quand même manqué ces dernières années. Je me souviens qu'au moment de quitter Haïti, il y a vingt ans, j'étais parfaitement heureux d'échapper à ce vacarme qui commence à l'aube et se termine tard dans la nuit. Le silence n'existe à Port-au-Prince qu'entre une heure et trois heures du matin. L'heure des braves. La vie ne peut être que publique dans cette métropole étonnamment surpeuplée (une ville construite pour à peine deux cent mille habitants qui se retrouve aujourd'hui avec près de deux millions d'hystériques). Il y a vingt ans, je voulais le silence et la vie privée. Aujourd'hui, je n'arrive pas à écrire si je ne sens pas les gens autour de moi, prêts à intervenir à tout moment dans mon travail pour lui donner une autre direction. J'écris à ciel ouvert au milieu des arbres, des gens, des cris, des pleurs. Au cœur de cette énergie caraïbéenne. Avec une cuvette d'eau propre, pas trop loin, pour me rafraîchir le corps (le visage et le torse) quand l'atmosphère devient insoutenable. L'air irrespirable. L'eau gicle partout. Denrée rare. Après cette brève toilette, je retourne à grandes enjambées vers ma table bancale pour me remettre à taper comme un forcené sur cette machine à écrire qui ne m'a jamais quitté depuis mon premier bouquin. Un vieux couple. On a connu des temps durs, ma vieille. Des jours avec. Des jours sans. Des nuits fébriles. Curieusement, c'est une machine qui m'a permis d'exprimer ma rage, ma peine ou ma joie. Je ne crois pas que ce soit uniquement une machine. Des fois, je l'entends gémir quand elle sent que je suis triste, ou grincer des dents quand elle entend gronder ma colère. J'écris tout ce que je vois, tout ce que j'entends, tout ce que je sens. Un vrai sismographe. Subitement, je lève la Remington à bout de bras vers le ciel net et dur de midi. Écrire plus vite, toujours plus vite. Non que je sois pressé. Je m'active comme un fou alors que, autour de moi, tout va si lentement. Je finis à peine une histoire qu'une autre déboule. Le trop-plein. J'entends la voisine expliquer à ma mère qu'elle connaît ce genre de maladie.

— Oui, chère, depuis qu'il est arrivé, il passe son temps à taper sur cette maudite machine.

— Il paraît, dit la voisine, que cette maladie ne frappe que les gens qui ont vécu trop longtemps à l'étranger.

— Est-ce qu'il est devenu fou ? demande anxieusement ma mère.

— Non. Il lui faut simplement réapprendre à respirer, à sentir, à voir, à toucher les choses différemment.

La voisine ajoute qu'elle connaît un remède qui pourrait m'aider à retrouver un rythme normal. Je ne veux pas de thé calmant. Je veux perdre la tête. Redevenir un gosse de quatre ans. Tiens, un oiseau traverse mon champ de vision. J'écris : oiseau. Une mangue tombe. J'écris : mangue. Les enfants jouent au ballon dans la rue parmi les voitures. J'écris : enfants, ballon, voitures. On dirait un peintre primitif. Voilà, c'est ça, j'ai trouvé. Je suis un écrivain primitif.

Pays réel

À force macaque caressé pitite li, li tué'l.

(À trop caresser son enfant, la guenon l'a tué.)

LA VALISE

À côté de ma mère, se tient tante Renée, droite, blanche, fragile. Ma mère a ce sourire un peu crispé que je lui ai toujours connu.

— Où sont tes bagages ? me demande ma mère avant même que je l'embrasse.

Toujours les deux pieds sur terre.

— Je n'ai que cette valise.

— Ah bon ! dit ma mère tout en essayant de cacher son étonnement.

— Elle fait le même poids que celle que tu m'as donnée quand je partais il y a vingt ans.

Tante Renée me prend la valise des mains.

— C'est vrai, Marie, il a raison.

Le sourire crispé de ma mère. Elle doit penser que je n'ai pas changé. Toujours cette façon fantaisiste de voir la vie. Ma mère aurait apporté le maximum de choses utiles, elle.

Ce n'est que maintenant que ma mère m'embrasse. Tante Renée, qui n'attendait que ce signal, me saute au cou.

LE TEMPS

Ma mère, en avant, portant la valise. Elle me l'a enlevée brutalement des mains. Le ciel bleu clair de

Port-au-Prince. Quelques nuages çà et là. Un soleil flam-
bant neuf en plein milieu. Exactement comme dans ma
mémoire. Tante Renée me tient par le bras.

— Pourquoi es-tu restée si longtemps sans revenir ?
me demande-t-elle en me serrant fortement contre elle.

— C'est le temps qui a passé, tante Renée.

Elle me regarde d'un air grave.

— C'est vrai, dit-elle, nous ne pouvons rien contre le
temps... Tu te souviens, ajoute-t-elle avec un petit rire
aigu, quand je t'envoyais faire des commissions et que je
crachais par terre en te demandant de revenir avant que
mon crachat soit complètement évaporé ?

— Oui, dis-je promptement, et j'arrivais toujours à
temps.

— C'était le seul moment, conclut tante Renée, où
nous pouvions contrôler le temps.

Un temps, ni bref ni long.

— Je peux te le dire maintenant que tu es un grand
garçon, commence tante Renée. Tu n'arrivais pas toujours
à temps comme tu le croyais. Quand je voyais que tu
n'arrivais pas, je crachais de nouveau par terre, comme ça
tu pouvais penser que tu avais fait vite.

— Mais, tante Renée, je partais toujours comme une
flèche.

— C'est vrai, dit-elle avec un sourire, que tu partais
comme une flèche, mais après tu t'arrêtais en chemin pour
jouer et, quand cela arrivait, tu n'avais aucune prise sur le
temps... Tu pouvais rester dix minutes, une demi-heure,
une heure même... Mais tu revenais toujours comme une
flèche... Et c'est ce qui est arrivé cette fois encore : tu nous
as appelées avant-hier pour dire que tu arrivais aujourd'hui.

— Et je suis resté vingt ans en chemin.

— C'est ça, dit tante Renée dans un bref éclat de rire.

LE TAXI

Je vois ma mère en train de discuter avec un chauffeur de taxi, de l'autre côté de la rue. L'homme secoue négativement la tête. Ma mère doit être en train de lui faire un prix impossible pour la course. On va à Carrefour-Feuilles, à l'autre bout de la ville.

L'homme finit par accepter. Ma mère monte en avant. Tante Renée et moi, à l'arrière.

Tante Renée me caresse la main.

— Vieux Os, comme je suis contente de te voir.

Ma mère regarde droit devant elle.

— Des fois, me dit tante Renée à l'oreille, j'entends Marie pleurer la nuit, toute seule dans le noir. Elle croit que je dors. Tu dois prendre soin de ta mère, elle n'est plus ferme comme avant, tu comprends. C'est pour toi qu'elle fait ce grand effort de se tenir droite comme ça. On dirait que Marie a avalé un balai…

Tante Renée rit doucement. Ma mère se retourne vivement. J'ai toujours cru qu'elle avait un œil derrière la tête.

— Vous complotez déjà ?

— Ça fait si longtemps que je ne l'ai pas vu, Marie.

Ma mère indique au chauffeur le meilleur chemin à prendre. Celui-ci obéit sans dire un mot. On grimpe la colline du morne Nelhio. Le taxi crachote une fumée très noire. Le visage du chauffeur est tendu. Ses mains comme vissées sur le volant. J'ai l'impression qu'on n'arrivera pas là-haut. Ma mère regarde toujours devant elle. Tante Renée me serre fortement les doigts. Les maisons défilent au ralenti. Un petit garçon, torse nu, me fait une grimace.

— Je n'aime pas venir par ici, grogne le chauffeur.

— On ne fait pas toujours ce qu'on aime, répond ma mère du tac au tac.

LA COLLINE

L e chauffeur crache par la portière tout en écrasant l'accélérateur. Un immense nuage noir nous enveloppe. Je ne vois plus le visage du petit garçon qui continue toujours de nous suivre.

— On dirait de la suie, dit ma mère en montant sa vitre.

Le chauffeur s'entête à accélérer. La voiture bouge à peine. Il est presque debout, le pied chevillé à l'accélérateur. Le taxi lance un cri à fendre l'âme, s'immobilise durant une dizaine d'interminables secondes avant de recommencer à grimper la colline. Le chauffeur se rassoit, sort son mouchoir pour s'essuyer le visage. On atteint finalement le sommet.

— À gauche, dit sèchement ma mère. C'est la troisième maison… Voilà…

Le chauffeur est obligé de descendre pour venir nous ouvrir les portières, qui ne s'ouvrent pas de l'intérieur. Tante Renée et moi, on est déjà sur la galerie. Ma mère reste pour régler la course. Le chauffeur exige une compensation parce que, dit-il, son moteur a failli exploser. Ma mère lui fait savoir qu'elle-même a risqué sa vie « dans ce tas de ferraille ». C'est plutôt son devoir de conduire les clients dans une voiture décente. Le chauffeur tente de prendre ma mère par les sentiments en se plaignant qu'il a quatorze bouches à nourrir.

— Un prix c'est un prix… Est-ce que moi, je te demande de me faire une réduction du fait que j'ai aussi des responsabilités ?

Finalement, le chauffeur démarre en trombe pour tourner à droite au coin de la rue sans même ralentir. C'est sa façon de protester.

LA NOUVELLE MAISON

C'est une maison beaucoup plus solide que celle que nous habitions, rue Lafleur-Duchêne. Avec toutes les chambres à l'étage. Et elles sont très spacieuses aussi.

— On est bien logé ici, dit tante Renée, mais le quartier…

— Qu'est-ce qu'il a, le quartier ? demande sèchement ma mère.

— Tu le sais bien, Marie.

— Le quartier est très bien, dit ma mère en se dirigeant vers la salle à manger.

Je viens d'apercevoir qu'elle porte des talons hauts, ce qu'elle fait très rarement, à cause de ses cors aux pieds. Elle doit souffrir l'enfer en ce moment. Ce n'est pas de sa bouche qu'on entendra une seule plainte.

LE CAFÉ

D'abord l'odeur. L'odeur du café des Palmes. Le meilleur café au monde, selon ma grand-mère. Da a passé toute sa vie à boire ce café.

J'approche la tasse fumante de mon nez. Toute mon enfance me monte à la tête.

Je jette trois gouttes de café par terre pour saluer Da.

PAYS SANS CHAPEAU

Ma mère sourit.

— T'inquiète pas pour Da, je lui donne une bonne tasse de café chaque matin.

— Elle ne peut pas faire autrement, ajoute tante Renée, sinon elle se servira elle-même.

— C'est vrai, dit ma mère en souriant. Une fois, j'ai oublié de la servir. Eh bien ! à un moment donné, j'ai eu l'impression que quelqu'un m'arrachait la tasse de la main. Elle était vraiment en colère, ce jour-là. On peut dire que je ne l'ai plus jamais oubliée depuis.

— Oui mais, dit tante Renée, quand Marie fait un café qui n'est pas celui des Palmes, elle n'en veut pas.

Ma grand-mère est partie pour le pays sans chapeau depuis quatre ans déjà. Des fois, j'ai envie d'aller lui rendre visite.

LA PETITE CHAMBRE

Elle est juste à côté du salon. Sous l'escalier. Une minuscule chambre. C'est là que Da a voulu finir ses jours.

— Il y a deux lits, dis-je.

— L'autre c'est mon lit, lance tante Renée tout en s'asseyant dessus.

— Ma mère et Renée ont toujours été ensemble, dit ma mère.

— Elle est maintenant là-bas, et je suis ici, murmure tante Renée.

— J'ai demandé à Renée de venir partager ma chambre, mais elle refuse.

— Mais Marie, je ne peux pas laisser Da seule…

Ma mère me fait un clin d'œil.

LA ROBE GRISE

Je viens d'apercevoir, accrochée sur le mur du fond, la petite robe grise avec les deux poches en avant. Celle que Da portait tous les jours. Elle gardait les autres robes dans la grande armoire, en attendant une occasion pour les porter. En fait, elle n'avait aucune intention de les mettre, ce qui désolait ma mère.

— Pourquoi tu ne mets pas ta belle robe bleue ?

— Je vais attendre une occasion, répondait invariablement Da.

— Mais maman, disait ma mère d'une voix presque voilée de larmes, tu ne portes que la robe grise.

— Quand je la mets, Marie, c'est comme si je n'avais rien sur moi… Elle n'a aucun poids, cette robe.

— Toutes ces robes, maman, tu les aimais ?

— Oui, mais maintenant, je ne peux porter que la robe grise…

— C'est à ce moment, me dit ma mère, que j'ai su qu'elle allait mourir.

LES OBJETS

La grosse malle sous le lit. La même vieille cuvette blanche un peu cabossée, sur la petite table, pour qu'elle puisse faire sa toilette avant de se coucher. Le verre, près de la cuvette, dans lequel elle déposait son dentier.

— Les seules choses qu'elle a voulu apporter de Petit-Goâve avec le grand miroir ovale et la statue de la Vierge, dit sombrement ma mère.

— On a des choses à faire, Marie, dit tante Renée.

— C'est vrai, dit ma mère, il doit avoir faim.

LA CHOSE

Ma mère a toujours refusé de croire qu'un être humain normal puisse ingurgiter la nourriture qu'on sert dans les avions. Pourtant, elle n'a jamais pris l'avion. D'où tient-elle ses informations ? Des voyageurs. Je crois comprendre à quoi elle fait allusion. L'ODEUR. Les repas dans les avions n'ont presque pas d'odeur, ou plutôt ont une odeur synthétique. Totalement à l'opposé de ce que les êtres humains devraient manger. À plus forte raison quelqu'un né dans les Caraïbes, au cœur des épices.

Pas d'odeur, donc pas de goût. Qu'est-ce qui reste alors ? La chose.

LE VRAI REPAS

Elles sont assises en face de moi à me regarder manger.

— Depuis que tu as appelé pour dire que tu arrivais, Marie n'a plus fermé les yeux.

— J'ai mal à la jambe depuis quelques jours, glisse ma mère en se frottant la jambe droite.

— C'est pour ça que je t'entends marcher là-haut toute la nuit, lance ironiquement tante Renée.

Le sourire crispé de ma mère.

— Qu'est-ce qu'elle a, ta jambe, maman ?

— Un cycliste m'a heurtée près du cimetière.

— Et tu n'as pas été voir un médecin ?

— Ah ! éclate tante Renée, c'est ce que je lui dis chaque jour. Va voir un médecin. Ta mère a peur des docteurs. Petite, elle hurlait quand le docteur Cayemitte lui faisait une piqûre. Avec le temps, Vieux Os, j'ai appris que les gens ne changent jamais.

— Arrête de parler, Renée, dit ma mère, tu l'empêches de manger.

— C'est vrai, dit tante Renée, mais ça fait si longtemps que je ne l'ai pas vu… Mon Vieux Os, tu es là, enfin. Je croyais que j'allais mourir sans te voir.

— C'est mon plat favori. Ça fait vraiment longtemps que je n'ai pas goûté à quelque chose d'aussi savoureux. Ça fond dans la bouche. Merci, maman.

— Ce n'est pas moi, dit ma mère, c'est Renée qui te l'a préparé. Elle s'est levée très tôt pour le faire.

— Qu'est-ce que tu racontes là, Marie, je suis debout toujours très tôt.

Je me lève pour aller chercher un verre d'eau.

— Qu'est-ce que tu fais là ? me demande anxieusement tante Renée.

— Rien. Je vais prendre un verre d'eau.

Ma mère saute sur ses pieds. Elle court vers le réfrigérateur pour m'apporter un grand verre de jus de grenadine.

— Merci, maman.

— De rien.

Ma mère sourit. Tante Renée aussi. Un vrai sourire. Mon premier repas à Port-au-Prince depuis vingt ans.

DU SPAGHETTI

J e savais que cette question allait arriver, tôt ou tard.

— Qu'est-ce que tu as mangé pendant ces vingt ans ? me demande à brûle-pourpoint ma mère.

— Marie, je ne peux pas entendre quand tu dis « vingt ans », ça me fend le cœur.

— Mais, Renée, il a passé vingt ans là-bas.

— Je sais.

— Qu'est-ce que j'ai mangé ?

Pour comprendre l'importance de cette question, il faut savoir que la nourriture est capitale dans ma famille. Nourrir quelqu'un, c'est une façon de lui dire qu'on l'aime. Pour ma mère, c'est presque l'unique mode de communication.

— Oui, comment t'es-tu débrouillé ?

— Du spaghetti.

Ah ! l'éclat de rire joyeux ! On aime beaucoup le spaghetti chez moi, mais ma mère pense que ce n'est pas un plat antillais. D'abord, pas de repas qui se respecte sans riz.

— Est-ce qu'il y a du riz, là-bas ?

— Oui...

Léger étonnement.

— Il y a même du porc.

— Oui, mais, disent-elles en chœur, ça n'a sûrement pas le même goût que le nôtre... Ça goûte quoi ? demande ma mère comme si la réponse ne l'intéressait plus.

— Rien.

— C'est ce que je me disais, tranche ma mère.

— Mais qui te faisait à manger ? risque tante Renée.

— Personne.

— Comment personne ? hurle presque tante Renée.

— C'est moi qui me faisais à manger.

— Mon pauvre enfant ! lance tante Renée.

Ma mère se passe la main lentement dans les cheveux.

— Ça n'a pas été si terrible que ça, je finis par murmurer.

LÀ-BAS

Ma mère ne dit jamais Montréal. Elle dit toujours là-bas.
— Pourquoi tu dis toujours là-bas, maman ?
— Ah oui…
— Oui, même dans tes lettres.
— Parce que c'est là-bas.
— Son nom, c'est Montréal.
— Je ne sais pas de quoi tu parles.
— J'ai vécu vingt ans là…
— Je le sais que t'as vécu vingt ans là-bas.
— Marie achète un calendrier chaque année, juste pour toi, lance tante Renée. Elle fait une croix sur chaque jour qui passe.
— Je comprends, mais elle peut quand même dire Montréal.
— Tu ne peux pas lui demander ça, dit simplement tante Renée.
Ma mère garde le silence.

UN MONDE CLOS

Je recule un peu ma chaise pour me mettre vraiment à l'aise.
— Enlève ta chemise, dit tante Renée.
— Va ouvrir la porte en avant, il doit faire chaud maintenant, Renée… Tu vas voir, Vieux Os, il y a un bon petit courant d'air…
Tante Renée court vers la porte qui donne sur la petite galerie. Je remarque ses jambes frêles et blanches.
— C'est devenu une obsession chez Renée… Elle ferme toutes les portes. De plus en plus, elle se referme sur elle-même.

— Elle m'a l'air bien vivante pourtant, dis-je.

— À cause de toi. Elle ne veut pas que tu voies qu'elle a vieilli. Sa santé n'est plus très bonne, non plus. Le mois dernier, elle est tombée deux fois en sortant du bain. Le docteur lui a recommandé de faire des exercices pour donner du tonus aux muscles.

— Elle les fait ?

— Oui, ça, il faut le dire, Renée fait toujours ce que le docteur recommande. De ce côté, je suis moins inquiète.

— Et toi, maman ?

— Moi quoi ?

— Ta santé ?

— Oh, ça va…

Toujours ce sourire crispé. C'est là qu'elle cache sa souffrance.

LA TOILETTE

Tante Renée a rempli d'eau tiède la cuvette de Da.

— L'eau est bonne, tante Renée.

— Elle était au soleil, Vieux Os. J'y avais mis quelques feuilles d'oranger, ça détend les muscles. Tu ne sens pas l'odeur de la fleur d'oranger ?

Je me penche pour goûter l'eau.

— Oui… Da me préparait des bains comme ça quand j'avais la fièvre.

Je me lave le visage, le torse et les aisselles. « Surtout les aisselles », me disait toujours Da. À cause de la chaleur.

J'ai pris mon premier bain, sûrement, dans cette cuvette cabossée. J'ai passé vingt ans là-bas, pour dire comme ma mère. Aujourd'hui, j'ai quarante-trois ans.

Et Da n'est plus.

L'ESCALIER

Je monte l'escalier, suivi de tante Renée. Un escalier solide, mais un peu glissant.

— Ah, dit tante Renée, si tu voyais Marie descendre
cet escalier, tu mourrais de rire.

Je ne vois pas là matière à rire.

— Je l'appelle le singe. Elle descend l'escalier sur
ses fesses. Tu sais, elle est déjà tombée une fois, depuis
elle ne fait plus confiance à l'escalier.

Tante Renée rit. Un rire frais, joyeux.

— Je suis content, tante Renée, que tu fasses tes exercices régulièrement.

— Qui t'a dit ça ? Marie ! Elle ne peut pas tenir sa
langue.

— Est-ce que ça te fait mal ?

— Le soir… Tu sais que ta mère a toujours mal aux
dents, ça la fatigue vraiment.

— Tante Renée, tu devrais faire attention avec ta
jambe dans l'escalier.

— Au contraire, me dit-elle en se retournant avec un
sourire complice. C'est un effort que le docteur me recommande.

LE VOYAGE

Tante Renée me pousse dans une petite chambre, juste
au sommet de l'escalier.

— Je ne suis pas comme Marie, moi, j'aime le
voyage.

— Et pourquoi tu ne viens jamais me voir à
Montréal ?

— L'avion, murmure-t-elle.

— Tante Renée, tu es plus moderne que ça.

— Oui, dit-elle avec un petit rire coquet, mais je ne peux pas contrôler ma peur de l'avion… Sinon, je voyagerais tout le temps.

— Et où irais-tu en premier lieu ?

— À Jérusalem.

— Parce que c'est la Ville sainte ?

— Non. J'aime le nom. Jérusalem, tu ne trouves pas que c'est beau ?…

— Oui. Très beau.

— Ne répète pas à Marie ce que je viens de te dire.

— Tante Renée, il n'y a rien là à cacher…

— J'ai mes raisons.

L'HABILLEMENT

Je trouve ma mère en train de repasser ma chemise.

— Qu'est-ce que tu fais là ? T'as pas besoin de la repasser, maman.

— Pourquoi ?

— Elle est faite comme ça… Elle doit paraître un peu chiffonnée.

— C'est la mode, Marie, dit tante Renée. Tu n'as pas vu le fils de Mme Jérémie qui est revenu de New York, la semaine dernière ? Marie ne s'intéresse pas à la mode. Tout doit rester comme quand elle était jeune.

— Je comprends, dit ma mère en arrêtant de repasser, tu n'as pas besoin de mettre ton grain de sel, Renée… Et depuis quand tu t'intéresses à la mode, toi ?

Un tic nerveux au coin de la bouche de tante Renée.

— Depuis toujours, Marie.

— Bon, dis-je, je vais vous demander de vous retourner…

— Pourquoi ? demandent-elles en chœur.

— Parce que je vais me changer, mesdames.

Un brusque éclat de rire.

— Ça ne nous fait pas peur, hein Marie ! lance tante Renée un peu gaillardement.

Sourire vaguement gêné de ma mère.

— Écoutez, j'ai quarante-trois ans…

Ciel ! qu'ai-je dit pour provoquer cette explosion de rires en cascade. Tante Renée se jette littéralement sur le lit. Ma mère, si réservée d'ordinaire, en fait autant. Finalement, je m'habille complètement devant elles.

Je crois que je vais faire un tour.

Une ombre voile, un bref moment, le visage de ma mère.

— Fais attention…

— Il sait, Marie… Ne commence pas à l'embêter avec ça. Ton fils a vécu partout dans le monde. Et là, le voilà à la maison sans une égratignure… Gloire à Dieu !

— Gloire à Dieu ! dit aussi ma mère.

LA PRIÈRE

Ma mère hésite un peu.

— J'ai quelque chose à te demander, Vieux Os.

— Oui…

— Dis-lui, Marie… Tu n'as pas à avoir peur de ton fils.

Un temps.

— J'aimerais que l'on fasse une petite prière avant que tu sortes.

— C'est une bonne idée, maman.

On s'est agenouillés au milieu de la chambre. C'est Da qui m'a appris ma première prière. Une prière au petit Jésus. Je me souviens de la statue de la Vierge tenant le petit Jésus dans ses bras. Dans la grande chambre à coucher, à Petit-Goâve.

Tout à coup, ma mère et tante Renée lèvent leurs bras au ciel en criant : «Gloire à l'Éternel ! Gloire au Ressuscité ! Que son nom soit béni ! Alléluia ! Alléluia ! Alléluia !

Elles font une petite danse autour de moi en battant des mains et en chantant : «IL EST REVENU !»

Ce n'est qu'au moment de franchir la porte que j'ai remarqué qu'elles pleuraient.

Pays rêvé

Anvant ou monté bois,
gadé si ou capab descenn li.

(Avant de grimper à un arbre,
assure-toi de pouvoir en descendre.)

Cette chaleur finira par m'avoir. Mon corps a vécu trop longtemps dans le froid du nord. La descente vers le sud, cette plongée aux enfers. Les feux de l'enfer. Je suis en sueur sous ce manguier. L'odeur d'une mangue trop mûre qui vient d'exploser près de ma chaise m'étourdit presque. Quelques feuilles jaunes achèvent de se décomposer dans la cuvette d'eau au pied de l'oranger. Une eau visqueuse. Au loin : le chien mort couvert de mouches noires de la tête aux pieds. Ce bruit incessant des mouches bourdonnant. Le jeu de lumière fait paraître les mouches tantôt noires, tantôt bleues. On m'apporte une tasse de café bien chaud. Je m'apprête à prendre la première gorgée.

— As-tu oublié l'usage, Vieux Os ?

Il faut en donner aux morts d'abord. Ici, on sert les morts avant les vivants. Ce sont nos aînés. N'importe quel mort devient subitement l'aîné de tous ceux qui respirent encore. Le mort change immédiatement de mode de temps. Il quitte le présent pour rejoindre à la fois le passé et le futur. Où vis-tu maintenant ? Dans l'éternité. Joli coin, hein ! Je jette la moitié de la tasse de café par terre en nommant à haute voix mes morts. Da qui aimait tant ce café des Palmes que je déguste à l'instant. Borno, le fils d'Edmond. Arince, le frère de Daniel (mon grand-père). Victoire, la sœur de Brice. Et Iram aussi, le jeune frère de Da. Mais surtout Charles, l'ancêtre, celui qui a fondé la dynastie (soixante enfants selon les estimations les plus modérées). Et à chaque nom prononcé, je sens vibrer la table. Ils sont là tout autour de moi, les morts. Mes morts. Tous ceux qui m'ont accompagné durant ce long voyage. Ils sont là, maintenant, à côté de moi, tout près de cette table bancale qui me sert de bureau, à l'ombre du vieux manguier perclus de maladies qui me protège du redoutable soleil de midi. Ils sont là, je le sais, ils sont tous là à me regarder travailler à ce livre. Je sais qu'ils m'observent. Je le sens. Leurs visages me frôlent la nuque. Ils se penchent avec curiosité par-dessus mon épaule. Ils se demandent, légèrement inquiets, comment je vais les présenter au monde, ce que je dirai d'eux, eux qui n'ont jamais quitté cette terre désolée, qui sont nés et morts dans la même ville, Petit-Goâve, qui n'ont connu que ces montagnes chauves et ces anophèles gorgés de malaria. Je suis là, devant cette table bancale, sous ce manguier, à tenter de parler une fois de plus de mon rapport avec ce terrible pays, de ce qu'il est devenu, de ce que je suis devenu, de ce que nous sommes tous devenus, de ce mouvement incessant qui peut bien être trompeur et donner l'illusion d'une inquiétante immobilité.

Pays réel

*Cabrit dit : Mouin mangé lanman, cé pas bon li
bon nan bouche mouin pou ça.*

(La chèvre dit : Si je mange cette plante amère,
ce n'est sûrement pas parce que ça goûte bon
à la bouche.)

LE PAYSAGE

Je suis sorti sans but précis, sauf celui d'être dehors, de sentir sur mon visage le vieux vent caraïbe. Me voilà seul à présent. Combien de fois ai-je rêvé de ce moment? Seul à Port-au-Prince. Sans raison, je tourne à droite pour me retrouver au sommet du morne Nelhio. La ville, à mes pieds. Les riches habitent au flanc des montagnes (les montagnes Noires). Les pauvres sont entassés dans le bas de la ville, au pied d'une montagne d'immondices. Ceux qui ne sont ni riches ni pauvres occupent le centre de Port-au-Prince.

Au loin, l'île de la Gonave.

LES CHIFFRES

56 % de la population occupe 11 % du territoire.
33 % de la population occupe 33 % du territoire.
11 % de la population occupe 56 % du territoire.

LE CIMETIÈRE

Juste au pied du morne Nelhio, le cimetière de Port-au-Prince, comme un lot de diamants mal taillés.

C'est le lieu de rendez-vous général.

LA GUERRE

Ce qui s'est passé durant les vingt dernières années dans le logement. La guerre. La population de Port-au-Prince a considérablement augmenté avec l'arrivée incessante des habitants des villes de province, issus de toutes les couches sociales. Ce mouvement a provoqué une panique générale dans la ville. Les bourgeois traditionnels de Port-au-Prince se sont réfugiés massivement dans les montagnes. Parmi la classe moyenne, la population a quintuplé alors que l'espace est resté le même. Un jeu féroce de chaise musicale s'est alors engagé. Et ceux qui perdaient leur place se retrouvaient *ipso facto* dans le panier de crabes de Martissant.

LA FRONTIÈRE

Notre nouvelle maison (celle qu'on occupe aujourd'hui après avoir perdu notre place rue Lafleur-Duchêne) se trouve juste à la frontière. Du haut du morne Nelhio, en jetant un rapide coup d'œil sur la gauche, on peut facilement voir la foule hurlante et en sueur de Martissant. L'enfer de Martissant, comme dit ma mère.

LA PEUR

Dans ses lettres, ma mère me parle souvent de cette question de loyer. Sa peur de se retrouver, un jour, à Martissant. C'est une maison louée, et le propriétaire qui vit à New York menace ma mère, au moins une fois par mois, de rentrer pour venir jouir de sa retraite à Port-au-Prince. Chez lui. Dans sa maison. Ma mère serait obligée de déménager ailleurs. Où ? Elle n'ose même pas prononcer le mot *Martissant*. La chaudière de Martissant.

— Renée ne survivrait pas quarante-huit heures à Martissant, lâche ma mère.

SON QUARTIER

Quand on perd son quartier, on perd tout. Un cadre dans lequel on peut être à son aise, des amis qui sont devenus avec le temps presque des parents, les petites épiceries qui vous fournissent à crédit parce que vous vous êtes fait une réputation de bonne cliente, l'école des enfants dont vous connaissez la directrice, le cinéma tout à côté.

— Et Renée qui dit qu'elle pourrait vivre à Martissant, Renée qui va se laver les mains dès qu'elle dit bonjour à quelqu'un, même si elle ne lui a même pas serré la main, conclut ma mère.

L'ODEUR

Ce n'est pas tellement la foule, le problème. C'est l'odeur. Près de cent mille personnes concentrées dans un espace restreint sans eau courante.

Je n'ose pourtant pas dire à ma mère que Martissant est loin d'être le pire quartier de Port-au-Prince.

L'HYGIÈNE

Tante Renée est aussi blanche qu'une Noire peut l'être sans être une vraie Blanche. Elle n'est pourtant pas une mulâtresse. Toutes ses sœurs sont noires. Sauf tante Raymonde. Tante Renée a des idées très arrêtées sur l'hygiène. Elle croit que c'est le manque d'hygiène qui rend certaines personnes si noires.

— Mais, Vieux Os, il n'est pas naturellement noir comme ça.

— C'est sa couleur, tante Renée.

— Je sais qu'il est noir, c'est un Haïtien, mais là, Vieux Os, c'est très noir. On ne peut pas être aussi noir… C'est sûrement parce qu'il ne se lave pas.

— Comment ça, tante Renée ! Si un Blanc ne se lavait pas, il ne deviendrait pas noir pour autant.

— Oui. Il deviendrait noir de crasse.

Tante Renée est une maniaque de l'hygiène.

— Elle croit, me chuchote ma mère, que si on va à Martissant, elle deviendra noire en moins de deux ans, mais je lui dis toujours de ne pas s'en faire parce qu'elle ne survivrait pas quarante-huit heures, là-bas.

Pays rêvé

Cé pas toute mort qui ouè bon Dieu.

(Ce ne sont pas tous les morts qui voient Dieu.)

Un petit vent taquin a emporté mes feuillets. Je les ramasse précipitamment, en fais une pile et pose une pierre dessus. J'écris torse nu, à Carrefour-Feuilles, en plein territoire bizango. J'entends ma mère raconter à la voisine avoir vu un bizango, il y a à peine un mois, qui descendait la pente du morne Nelhio tout en buvant du sang et en gueulant des chants obscènes. Le corps couvert de cendres, nu, indécent, le sexe à l'air, les yeux rouges, la bouche crachant le feu, à la recherche d'une nouvelle victime dans la nuit opaque. Ma mère s'est précipitée à l'intérieur de la maison, a vite refermé les portes et éteint toutes les lumières avant de s'étendre à plat ventre au milieu du salon. Elle affirme n'avoir parlé de ça à personne jusqu'à aujourd'hui. Ma mère se retourne et remarque que je m'intéresse à son récit. Pas pour les raisons qu'elle croit. Moi, ce qui me touche, c'est sa capacité pratiquement illimitée à revivre ses peurs nocturnes. La nuit existe dans ce pays. Une nuit mystérieuse. Moi qui viens de passer près de vingt ans dans le nord, j'avais presque oublié cet aspect de la nuit. La nuit noire. Nuit mystique. Et il n'y a que le jour qu'on puisse parler de ce qui s'est passé la nuit. Me revient à l'esprit la fameuse interrogation de Thalès. Qui vient d'abord : la nuit ou le jour ? Et Thalès tranche : la nuit est en avance d'un jour. On dirait que deux pays cheminent côte à côte, sans jamais se rencontrer. Un petit peuple se débat le jour pour survivre. Et ce même pays n'est habité, la nuit, que de dieux, de diables, d'hommes changés en bêtes. Le pays réel : la lutte pour la survie. Et

le pays rêvé : tous les phantasmes du peuple le plus mégalomane de la planète.

— Tu sais, Vieux Os, ce pays a changé.

— Ça, j'ai bien vu, maman.

— Pas comme tu crois. Ce pays a vraiment changé.
Nous avons atteint le fond. Ce ne sont plus des humains.
Ils en ont peut-être l'apparence, et là encore…

Je remarque que ma mère parle comme si elle crai-
gnait que quelqu'un d'autre ne l'entende. Mais il n'y a
personne autour de nous. La voisine est partie vaquer à ses
occupations.

— En tout cas, conclut-elle, méfie-toi. Ils circulent le
jour comme la nuit.

— Le jour aussi ?

— Oui. La nuit, ce sont des bizangos. Et le jour, des zenglendos. Des fois, on ne sait plus si on est le jour ou la nuit.

— Et que fait-on ?

— On ferme les portes à midi.

— Ah ! c'est pour ça que vous gardez toujours les
volets fermés. J'en ai parlé à tante Renée, et elle a fait
celle qui n'a rien entendu.

— Je sais que tu n'écoutes personne… (Un temps)…
Écoute-moi bien pour une fois : je n'ai pas quitté ce pays,
même pour une minute, alors je sais de quoi je parle.
Méfie-toi d'eux. Méfie-toi d'eux de jour comme de nuit.

— Et comment les reconnaîtrai-je ? dis-je, légèrement agacé de voir que ma mère a vieilli.

Elle semble avoir peur de son ombre maintenant.

— Tu les reconnaîtras… Ils n'ont pas d'âme.

— Et comment le saurai-je ?

— Tu as une âme, toi.

Un moment de silence vaguement gênant. Je sens que
ma mère est en train de réfléchir.

— Qu'est-ce qui ne va pas, maman ?

— Non, rien, dit-elle tout en jetant à droite et à gauche de brefs coups d'œil inquiets.

— Je sens que quelque chose te tracasse, maman.

— Oui, finit-elle par avouer, ils sont tellement malins qu'ils seront capables de te faire croire qu'ils sont des êtres vivants.

— Je ne comprends pas. Tu ne parles pas sérieusement, maman ? Tu ne crois pas dans ces trucs ?

Ma mère a ce vif mouvement, comme si une décharge électrique venait de lui traverser le corps.

— Je crois dans l'Éternel, dit-elle fièrement.

— Alors, qui sont ces gens ?

Une ombre passe lentement sur le visage de ma mère. Je vois sa main se refermer vivement sur le morceau de tissu qu'elle n'arrêtait pas de triturer. Du satin bleu. Bleu de Marie.

— L'armée des zombis, finit-elle par murmurer. Ils sont des dizaines de milliers. Les prêtres vaudou ont ratissé le pays du nord au sud, de l'est à l'ouest. Ils ont ratissé tous les cimetières du pays. Ils ont réveillé tous les morts qui dormaient du sommeil du juste. Partout — ma mère fait le geste en ouvrant ses bras largement et en pointant ses doigts dans toutes les directions. Au Borgne, à Port-Margot, Dondon, Jérémie, Cayes, Limonade, Petit-Trou, Baradères, Jean-Rabel, Petit-Goâve, oui, Petit-Goâve aussi... Ils sont même allés chercher des morts jusqu'au pic Brigand dans le massif du nord.

Ma mère s'arrête un moment pour reprendre son souffle. Elle me jette de vifs regards pour tenter de voir l'effet de ses paroles sur moi. Je dois avoir l'air fasciné puisqu'elle poursuit avec un léger sourire au coin des lèvres.

— Ils sont vraiment allés partout. On les entendait la nuit quand ils entraient dans Port-au-Prince.

— Qui ça ?

— Tu ne m'écoutais pas ! Des files de gens qui marchaient la tête baissée, tout en marmonnant dans un sabir incompréhensible des histoires épouvantables.

— Donc, il ne reste plus un seul mort dans les cimetières d'Haïti à l'heure qu'il est, je lance sur un ton légèrement sceptique.

— Non... Oui... Oui, il doit y avoir encore quelques défunts dans ce pays, me dit-elle avec une telle candeur que je regrettai tout de suite mon ton persifleur.

— Heureusement...

— Oui, paraît-il, poursuit ma mère, on ne peut pas faire revenir sur Terre quelqu'un qui est occupé... Les gens mettent dans les mains du mort, quand ils soupçonnent que cette mort n'est pas naturelle, une bobine de fil et une aiguille sans chas en lui demandant de filer l'aiguille. C'est comme ça qu'on occupe un mort. On a toujours fait ça dans notre famille. Je suis tranquille à leur sujet. On n'a sûrement pas pu les déranger.

Je visualise tous ces morts occupés à filer des aiguilles sans chas pour l'éternité.

— Donc, mon grand-père est occupé à essayer de filer cette aiguille sans chas — un frisson me parcourt l'échine — jusqu'à la fin des temps.

— Jusqu'à la résurrection, lance-t-elle fièrement. Seul Dieu peut le réveiller... Moi, je n'ai pas de mort à donner à ces assoiffés de sang pour qu'ils accomplissent leur diabolique besogne.

Ma mère me regarde, cette fois-ci, droit dans les yeux.

— Tu ne peux pas savoir ce qu'on a vécu. On ne pouvait même plus aller au cimetière. C'était gardé par les militaires. Zone réservée. Bien sûr, le gouvernement ne voulait pas qu'on sache que les cimetières étaient pratiquement vides.

— Ils gardaient quoi ? je finis par demander.

— C'était pour faire diversion… Pour qu'on ne découvre pas le pot aux roses. En réalité, ils gardaient le vide. Le néant. Un cimetière sans mort. Madame Lucien, tu te souviens d'elle ? Eh bien ! elle avait un mort au cimetière de Léogâne, un de ses oncles, homme tranquille, bienveillant, qu'elle consultait de temps en temps…

— Du temps qu'il était vivant ?

— Non, je parle du mort. Ce mort avait l'habitude de lui faire gagner de bonnes sommes d'argent à la loterie, pas le gros lot, mais assez pour survivre par ce temps de disette. Eh bien ! Mme Lucien a pu pénétrer dans le cimetière, une nuit, et elle a trouvé dans le cercueil, à la place du mort, devine quoi ?

— Je ne vois pas, maman.

— Un tronc de bananier. Un tronc de bananier dans le cercueil. Elle est restée sans voix pendant une semaine. Tu te rends compte : un tronc de bananier ! Et on ne sait pas depuis combien de temps elle priait devant ce tronc de bananier. La pauvre, elle était complètement déboussolée.

Une mangue tombe, presque aux pieds de ma mère. Elle ne cille même pas. Complètement ailleurs.

— Les gens sont morts, conclut-elle, et on refuse de les laisser se reposer en paix. Avant, le cimetière était le seul endroit sûr en Haïti. Maintenant, on se demande si on fait une bonne affaire en mourant dans ce pays.

Pays réel

Pati pas di ou rivé pou ça.

(Partir ne veut pas dire que tu es arrivé pour
autant.)

JEU

Ils sont quatre ou cinq garçons de douze à quatorze ans, assis sur un muret, sous un amandier, causant, se chamaillant, riant (de petits cris aigus de fillettes chatouillées). Je vais m'asseoir, en face, sur un petit banc près de la marchande d'arachides pour les regarder tout en faisant semblant de ne pas m'intéresser à eux. Je donne l'impression de plutôt m'intéresser à ce cerf-volant, juste au-dessus de leurs têtes. Maintenant, ils jouent à se jeter en bas du muret. Celui qui est torse nu me semble le plus fort. Pas forcément le plus âgé. Le jeu devient de plus en plus brutal. Les rires, plus rauques. Quelques corps à corps. L'un d'eux est attrapé par le collet. Le bruit d'une chemise qui se déchire. Le jeu s'arrête instantanément. Tout est comme suspendu. Celui qui est torse nu s'excuse longuement. L'autre, plus désespéré que fâché, descend du muret pour partir, tête baissée.

L'APRÈS-MIDI

Dans les rues, la vie continue. Un cireur de chaussures m'offre ses services.

— Patron, vous allez sûrement rendre visite à une jeune fille. C'est la première chose que sa mère va remarquer.

— Quoi ?

— Les chaussures… Si elles sont bien nettoyées, alors ça va.

— C'est à la jeune fille que je désire plaire.

— Ah ! patron, ne me faites pas ça, vous savez très bien que si la mère ne vous aime pas…

— Vous croyez vraiment que ce genre de relation existe encore dans les familles ?

— Là où vous allez, oui, patron, car vous me semblez un homme de bien… Alors, patron, vous me faites faire cette poussière de monnaie ou dois-je croire que j'ai gaspillé ma salive ?

— OK, mais faites vite.

— Ah non ! ça, jamais. Je vais prendre mon temps pour vous faire un bon travail pour que chaque après-midi vous puissiez vous arrêter à mon poste.

— Chaque après-midi !

— Patron, je ne peux pas vous garantir un nettoyage éternel avec cette masse de poussière blanche qu'il y a dans les rues.

— Ne pestez pas contre la poussière, ça fait votre affaire.

Il rit en donnant avec sa brosse quelques coups secs à sa boîte de cirage.

— Vous venez d'arriver, patron ?

— Comment vous savez ça ?

— Patron, ça se voit comme le nez au milieu de la figure. Puis-je vous donner un conseil ?

— Allez-y.

— Faites changer votre date de retour et partez demain à la première heure.

— Pourquoi ? Je suis dans mon pays.

Le cireur secoue lentement la tête.

— Le pays a changé, mon ami. Les gens que vous croisez dans la rue ne sont pas tous des êtres humains, hum…

— Pourquoi dites-vous ça ? Et vous ?

— Moi ! (Il rit)… Moi ! ça fait longtemps que je suis mort… Je vais vous donner le secret de ce pays. Tous ceux que vous voyez dans les rues en train de marcher ou de parler, eh bien ! la plupart sont morts depuis longtemps et ils ne le savent pas. Ce pays est devenu le plus grand cimetière du monde.

— Vous parlez de l'affaire des zombis ? dis-je à voix très basse pour ne pas le compromettre.

— C'est tout ce que j'ai à vous dire… Si on était vraiment des êtres humains, continue-t-il, vous croyez qu'on survivrait à cette famine, à tous ces tas d'immondices qu'on trouve à tous les coins de rue… Et puis, vous ne voyez pas que toutes les autres nations sont dans le pays ? (Il fait référence aux soldats des Nations Unies qui occupent les rues de Port-au-Prince.) Que croyez-vous qu'ils sont en train de faire ? Ils font des études, mon ami. Ils viennent ici pour étudier combien de temps l'être humain peut rester sans manger ni boire. Mais ils ne savent pas qu'on est déjà morts. Les Blancs ne veulent croire qu'à ce qu'ils peuvent comprendre. Alors, partez pendant qu'il est encore temps.

— Merci pour le conseil.

Je me dirige tranquillement vers l'Hôpital général.

— Patron…

J'entends un bruit de pas derrière moi.

— Patron, vous m'avez oublié… C'est pas encore gratuit…

— Oh ! excusez-moi, j'avais la tête ailleurs…

— Merci, patron, et n'oubliez pas mon conseil… Quittez ce pays le plus vite possible.

LA MONTRE

La foule marche en plein milieu de la rue. Les gens vont dans tous les sens. Souvent, ils reviennent brusquement sur leurs pas. Ça fait la quatrième fois que je croise cet homme sur mon chemin. Il me regarde comme si nous étions de vieilles connaissances. Quand on rentre au pays après un si grand nombre d'années d'absence, on a peur de ne pas reconnaître un vieil ami. Alors, on est comme sur le qui-vive. Mais celui-là, je n'arrive pas malgré tout à mettre un nom sur son visage. Maintenant, il s'approche de moi.

— Vous ne voulez pas de cette montre en or ?

— Pourquoi ?

— Vous n'avez pas de montre à ce que je vois.

— Ça ne m'intéresse pas de savoir l'heure qu'il est.

— Allez, cette montre est à vous pour seulement cinquante dollars.

— Et qu'est-ce que je ferai d'une montre, puisque, ici, de toute façon, personne n'arrive à l'heure nulle part ?

Il hésite un moment, un peu comme un jeune boxeur trop fougueux qui vient de recevoir un solide coup de poing au plexus.

— OK, prenez-la pour dix dollars. Je le fais parce que c'est vous, et je veux que vous ayez une montre.

— Si jamais j'ai absolument besoin de savoir l'heure, je n'ai qu'à demander à n'importe qui. Regardez, monsieur, tout le monde a une montre dans cette ville, dis-je tout en continuant mon chemin.

— Vous êtes un dur, je vois… Cinq dollars… Je l'ai achetée vingt, mais je te la donne à cinq. Vous voyez, j'accepte de perdre quinze dollars.

— Écoutez, vous perdez votre temps. Je n'achète pas.

— Prenez-la, dit-il tout en me regardant dans les yeux, je vous en fais cadeau… (Un temps…) Vous me donnez ce que vous voulez.

Finalement, je lui donne un dollar tout en repoussant sa montre. Simplement pour avoir la paix. Ces types finissent toujours par vous avoir.

LA VOITURE

Une voiture fonce sur la foule compacte, près du cimetière. L'accident semble inévitable. Je ferme les yeux. J'attends le choc. J'ouvre les yeux à temps pour voir les gens s'écarter à la dernière seconde et laisser passer la voiture qui les frôle. Je n'entends aucune protestation de la part des piétons. J'ai pu apercevoir le visage du chauffeur, et il paraît plutôt détendu. Tout baigne dans l'huile. Au fond, cela se tient : les trottoirs ne suffisant plus, les gens ont pris l'habitude d'occuper la rue. Alors, quand une voiture arrive, on s'écarte calmement.

LA TAUROMACHIE

Je compare cela à une véritable scène de tauromachie. La voiture serait le taureau fonçant sur la foule. La foule, le toréador. Certaines fois, il arrive que les cornes du taureau s'enfoncent dans le ventre du toréador. Le sang. Les hurlements. Si le chauffeur n'est pas assez habile pour s'enfuir dès les premières secondes de stupeur, la foule le fait alors sortir de la voiture et l'abat sur place.

LE LÉZARD VERT

J'ai vu cet éclair vert. Je ne me suis pas écarté assez vivement. Quelque chose s'agrippe à ma chemise. Je deviens livide. Mon cœur sort presque de ma bouche. Je n'ose même pas regarder ce que c'est. Là, sur ma chemise : un lézard vert. Je le regarde. Il me regarde. Ses yeux sont vifs. La tête allongée. La queue presque aussi longue que le reste du corps. Que voit-il en me regardant ainsi ? Sait-il que je viens d'arriver, aujourd'hui même ? Sait-il seulement combien de temps j'ai passé là-bas ? Sait-il au moins qu'il n'y a pas de lézard là où j'étais ? Tant d'émotions, de sensations, d'impressions en un temps si bref (dix à douze secondes). Soudain, j'entends un bruit mat. Il vient de sauter sur le trottoir, et le voilà qui se faufile dans l'herbe pour atteindre un arbre, près de la clôture. Je le vois grimper vivement à l'arbre et s'arrêter brusquement au milieu pour faire le coup de la gorge qui s'enfle, puis tourner lentement la tête vers moi.

UN RENDEZ-VOUS

Comment vit ce lézard dans une ville où l'herbe est devenue si rare ? Le bruit du lézard se faufilant dans l'herbe haute. Une émotion de mon enfance. Surtout comment fait-il pour rester aussi vert et musclé ? Pourtant, il a l'air de bien se débrouiller. Le voilà qui descend de l'arbre pour filer ailleurs. L'impression aiguë que tout a été coordonné de façon que j'arrive à temps pour voir ce lézard. Le but secret de mon voyage.

Pays rêvé

Moune mouri pas connin prix cercueil.

(Les morts ne connaissent pas le prix des cercueils.)

Ah! je me souviens de cette armée de zombis que le vieux président avait menacé de lancer contre les Américains s'ils osaient mettre un seul pied sur le sol d'Haïti. Le général de l'armée morte. Je me souviens très bien de cet épisode. J'étais à Miami, à l'époque, et le *Miami Herald* avait rapporté les paroles du vieux président. Où était donc cette armée quand les Américains ont débarqué ?

Le visage de ma mère devient subitement grave.

— Elle était là, finit-elle par articuler. Elle a attendu les ordres. Finalement, le vieux président a conclu un pacte avec le jeune président américain. L'armée américaine occupera le pays durant le jour. L'armée des zombis l'aura la nuit à sa disposition.

Nouvelle politique. Au lieu de séparer l'espace territorial : les Américains occupent le nord, le nord-ouest, le centre et l'ouest, et les Haïtiens, le sud du pays (comme convenu), ils ont finalement opté pour une division du temps.

Le temps. Pas l'espace. L'espace est trop visible pour la presse internationale. Le temps, lui, est invisible. Je commence à comprendre et à apprécier du même coup ce curieux pacte. Donc, les soldats américains rentrent dans leurs casernes, le soir. Au même moment, l'armée des zombis s'apprête à sortir. Simple comme bonjour. Faut dire que la seule panique du soldat américain — comme ce jeune soldat de l'Ohio —, c'était de circuler dans la nuit haïtienne. Ils ont tous entendu parler du vaudou avant d'arriver à Port-au-Prince, et ont tous peur de faire face à l'ennemi invisible dont le rire vous glace les os. Le jour, ce ne sont que de pauvres Nègres mal équipés — leur plus récente arme date de la Seconde Guerre mondiale — mais la nuit…

— Oui, maman, je trouve cette division du travail parfaite. Le jour à l'Occident. La nuit à l'Afrique.

Ma mère reste silencieuse un bref instant.

— Ce serait bien, finit-elle par murmurer, s'ils ne sortaient pas aussi le jour.

— Qui ça « ils » ?

— L'armée des zombis… Tu blagues peut-être, Vieux Os, mais c'est sérieux, ce que je te dis là. Va faire une visite au cimetière, tu verras.

— Écoute, maman, s'ils font ça, ça veut dire qu'ils ont rompu le contrat à propos du temps (le jour pour eux, la nuit pour nous) et tu vas voir que les Américains ne tarderont pas à sévir.

— Les Américains, mon fils, me dit ma mère avec un sourire au coin des lèvres, ils n'arrivent même pas à distinguer un Noir instruit d'un Noir illettré, et tu leur demandes maintenant de faire la différence entre un Noir mort et un Noir vivant.

— Là, j'avoue que tu as raison, maman.

Le sourire radieux de ma mère.

— Mais laisse-moi te dire que ton fils aura certaines difficultés à faire cette différence, lui aussi…

Ma mère sort promptement un tout petit miroir de sa poche et elle me le tend.

— Les zombis n'ont pas de reflet, tranche-t-elle.

Ce qui est tout à fait faux, d'ailleurs, puisque un zombi n'est pas un fantôme ni un revenant.

— Écoute, maman, je ne peux quand même pas faire passer un test du genre « Es-tu un mort ou es-tu un vivant ? » à chaque personne que je croise sur mon chemin.

— Seulement si tu as un doute, Vieux Os.

— OK, maman, je te promets de me servir de ton miroir.

Subitement, elle jette un bref coup d'œil à ma table de travail.

— Ah ! tu travaillais…

Je vois la nuque fragile de ma mère.

Pays réel

Bon Dieu tellement connin ça li connin, li bail
chien malingue deyè tête li pou li pas
capab niché'l.

(Dieu est tellement fin qu'il peut placer une bles-
sure derrière la tête du chien s'il ne veut pas
qu'il la lèche.)

L'ODEUR

Ce qui frappe d'abord, c'est cette odeur. La ville pue. Plus d'un million de gens vivent dans une sorte de vase (ce mélange de boue noire, de détritus et de cadavres d'animaux). Tout cela sous un ciel torride. La sueur. On pisse partout, hommes et bêtes. Les égouts à ciel ouvert. Les gens crachent par terre, presque sur le pied du voisin. Toujours la foule. L'odeur de Port-au-Prince est devenue si puissante qu'elle élimine tous les autres parfums individuels. Toute tentative personnelle devient impossible dans ces conditions. La lutte est par trop inégale.

LE NEZ

Autrefois, il était plus facile de distinguer l'origine sociale des gens de cette ville. Juste par le nez. Même s'ils vivaient depuis plusieurs années à Port-au-Prince, les paysans gardaient encore collée à leur peau cette odeur végétale. On dirait des arbres qui marchent. Je connaissais une jeune paysanne qui sentait la cannelle. D'accord, je le concède, le centre-ville a toujours senti l'essence. Dans les quartiers populaires — Martissant, Carrefour, Bolosse, Bel Air —, on utilisait surtout les parfums bon marché, comme Florida, Bien-être, My dream. Un peu plus haut (dans tous les sens du mot), on se servait d'eau de Cologne. Et les dames des quartiers résidentiels se parfumaient au Dior, Nina Ricci, Chanel, Guerlain.

Ma mère pouvait se ruiner pour s'acheter ce qu'elle appelait un bon parfum, chez Biggio.

LA PEAU

Cette fine poussière sur la peau des gens qui circulent dans les rues entre midi et deux heures de l'après-midi. Cette poussière soulevée par les sandales des marchandes ambulantes, des flâneurs, des chômeurs, des élèves des quartiers populaires, des miséreux, cette poussière danse dans l'air comme un nuage doré avant de se déposer doucement sur les visages des gens. Une sorte de poudre de talc. C'est ainsi que Da me décrivait les gens qui vivaient dans l'au-delà, au pays sans chapeau, exactement comme ceux que je croise en ce moment. Décharnés, de longs doigts secs, les yeux très grands dans des visages osseux, et surtout cette fine poussière sur presque tout le corps. C'est que la route qui mène à l'au-delà est longue et poussiéreuse. Cette oppressante poussière blanche.

L'au-delà. Est-ce ici ou là-bas ? Ici n'est-il pas déjà là-bas ? C'est cette enquête que je mène.

Pays rêvé

Sèl couteau connin ça qui nan cœur gnanme.

(Seul le couteau connaît le secret caché au cœur
de l'igname.)

Je suis allé à la faculté d'ethnologie rencontrer le professeur J.-B. Romain. Je veux savoir ce qu'il en est exactement de cette histoire. Le docteur J.-B. Romain est un homme mesuré, aux manières très courtoises. Il m'a reçu dans son étroit bureau submergé de paperasses, de sculptures africaines, de statuettes précolombiennes et de cartes maritimes datant de l'époque glorieuse de la flibuste.

Je lui pose la question de but en blanc :

— Professeur Romain, que savez-vous de l'armée des zombis ?

— Ah ! dit-il en levant les bras au ciel, il ne se passe pas un jour sans qu'un journaliste hollandais, coréen ou américain ne vienne m'entretenir de ce sujet.

— Alors, professeur ?

— Alors quoi ?

— Est-ce une rumeur de vieilles femmes ?

Il se lève et commence à faire les cent pas dans son minuscule bureau.

— Naturellement, je ne peux pas te parler comme je parle aux journalistes étrangers qui ne pensent qu'à amuser leur public avec de juteuses histoires de revenants.

— On les connaît, professeur…

— Bon… Par où commencer ? Ah oui ! tout a commencé dans le nord-ouest du pays. Une petite révolte paysanne, je dis petite à cause du nombre de gens concernés. Le nord-ouest étant la région la plus défavorisée d'Haïti, ce genre d'incident est assez courant là-bas. Quand on pense qu'il n'a plu que quatre jours seulement l'année dernière. Les paysans se nourrissent là-bas de feuilles de manguier ou d'autres arbres fruitiers. Bon, un matin, ils se révoltent contre le grand don de la région, un certain Désira Désilus. Faut dire que cet homme possède la moitié des terres. Et surtout l'eau. L'eau, comme par hasard, passe sur ses terres. Vieilles histoires agraires. Alors Désira Désilus fait venir une demi-douzaine de gendarmes des casernes de Port-de-Paix pour mater la révolte dans l'œuf comme on dit. Les soldats arrivent et, comme toujours, ne prennent même pas la peine de se renseigner pour bien comprendre la situation. Ils demandent aux paysans de quitter les lieux. Ceux-ci refusent, sortent leurs machettes. Alors les soldats font feu, à hauteur d'homme. Une fois, deux fois, trois fois. Les paysans continuent de marcher sur eux. Les soldats tirent encore une fois, avant de s'enfuir. Ils rentrent à Port-de-Paix pour y faire leur rapport. Ce rapport est acheminé à Port-au-Prince, et c'est un supérieur, le major Sylva, qui signale au président le caractère étrange de cette affaire. Le vieux président fait venir à Port-au-Prince le commandant des casernes de Port-de-Paix pour obtenir de lui des explications plus détaillées.

— Et comment celui-ci a-t-il expliqué ce phénomène ?

— Il a répété les faits au vieux président : ce groupe de paysans qui semblent ignorer les affres de la souffrance et même la paix de la mort.

— Oui, mais il doit y avoir plus de détails…

— Bien sûr, mais le reste est un secret d'État.

— Professeur, vous me laissez sur ma faim.

— Je peux seulement vous révéler un seul fait… Il paraît qu'un des soldats a reconnu un paysan.

— Et ?

— Et, selon le soldat, cet homme était mort depuis longtemps.

— Donc, un zombi.

— C'est ça.

— Mais ce n'est pas nouveau en Haïti, professeur. Et ce n'est pas la première fois non plus que des propriétaires terriens font travailler des zombis dans leurs champs.

— Oui, mais c'est la première fois qu'on assiste à une révolte de zombis... Généralement, le zombi n'a aucune volonté. Il n'arrive même pas à tenir sa tête droite. Il ne fait qu'obéir.

— Et là, c'était quoi ?

— C'est un secret d'État... Dans le même département, il s'est passé quelque chose de plus étrange encore...

— Ah oui !...

— C'est le professeur Legrand Bijou, un psychiatre, qui s'occupe de ce dossier. Moi, je dois te quitter, cher ami. J'ai un rendez-vous avec le major Sylva dans une vingtaine de minutes.

— Une dernière question, professeur.

— Oui...

— Est-il vrai que le vieux président a levé une armée de zombis pour faire face à l'armée américaine ?

— Je vous laisse déduire ça, dit-il en franchissant la porte.

Pays réel

Bèl fanm, bèl malè…

(Belle femme, grand malheur…)

LA MENDIANTE

La robe noire. Un sourire triste. Elle ressemble comme une sœur à ma mère.

— Puis-je vous dire un mot?

— Bien sûr, madame.

Elle m'entraîne dans un coin, près de la pharmacie Séjourné.

— Je ne voudrais pas vous déranger…

— Vous ne me dérangez nullement, madame.

— Je suis désespérée… Avez-vous un peu de temps?

Elle a l'air véritablement tendue.

— J'ai tout mon temps, madame.

— Merci… Dieu vous le rendra… Bon, voilà, je ne veux malgré tout pas vous faire perdre votre temps. (Un sourire crispé, le même que ma mère.) C'est au sujet de mon loyer. J'ai loué cette maison, il y a dix ans, jour pour jour, ce mois-ci. Tout s'est toujours bien passé. Mon mari travaillait à la Santé publique comme inspecteur sanitaire. Je ne sais pas pourquoi, un jour on est venu le menotter à son bureau, et aujourd'hui encore je n'ai jamais revu son corps. (Elle lève ses bras frêles au ciel.) Monsieur… (Elle me prend par le bras.) Je ne sais même pas s'il est encore vivant ou mort. C'est comme ça qu'on agit avec des gens de notre condition dans ce pays. Ensuite, il y a quelques mois, j'ai perdu mon emploi. Ce n'était pas grand-chose, mais ça me permettait de régler quelques petites factures. Mais là, depuis trois mois, je n'ai rien. Je ne peux même

pas payer mon loyer ni l'écolage de ma fille. Ma fille, monsieur, je suis peut-être laide, mais si vous voyiez ma fille,
c'est un don de Dieu, elle est autant belle que gentille.
Qu'est-ce que je raconte là ! Oui, la propriétaire est venue,
il y a quelques jours, me demander de déguerpir. Je lui ai
fait comprendre que je traverse une mauvaise passe tout
simplement, mais qu'elle aura son argent au début de la
semaine prochaine. Monsieur, j'ai honte de vous dire ce
que j'ai fait pour ramasser cet argent. Comme vous pouvez
le constater, je ne suis plus très jeune. Alors, la propriétaire
est revenue la semaine dernière, je lui ai remis l'argent,
mais il manquait quelques gourdes. Elle a refusé de prendre
l'argent, malgré toutes mes supplications. J'ai eu beau
implorer sa pitié, lui rappeler que j'ai toujours payé mon
loyer depuis dix ans. Pour toute réponse, elle m'a giflée.
Oui, monsieur. (Elle pleure.) Je n'ai rien fait, à cause de ma
fille. Je ne voudrais pas la voir dans la rue. Elle a dix-sept
ans. Elle est si belle, aussi belle que gentille. Je me dis que
si jamais elle rencontrait quelqu'un de bien, elle pourrait
continuer à l'école. Elle aimerait être infirmière.

— Je suis sûr qu'elle y arrivera…

La femme me sourit. De ce sourire triste et amical.

— Ça me rassurerait grandement de la savoir avec
vous, monsieur.

— Quoi ! Mais vous ne me connaissez pas, madame.

— Mon cœur me dit, monsieur, que vous êtes
quelqu'un de bien.

— Excusez-moi, mais j'ai peur de ne pas trop bien
comprendre…

Elle me touche doucement l'avant-bras.

— Je veux vous donner ma fille.

— Un moment, madame, vous m'avez parlé d'un
problème de loyer plutôt.

— Oui, mais c'est ma fille qui importe.

— Et pour le loyer ?

— Je me débrouillerai autrement. Pour moi, c'est fini. C'est fini depuis que mon mari a disparu. Si je suis encore en vie, c'est uniquement parce que je ne veux pas laisser ma fille seule. C'est uniquement ça qui me tient en vie.

— Et votre fille, elle est à l'école en ce moment ?

Un silence. Elle a de nouveau ce sourire crispé qui la fait tant ressembler à ma mère.

— Non, elle est avec moi. De l'autre côté de la rue.

— C'est qui ?

— Elle… Celle qui est en jaune.

— Seigneur !

— C'est ce que tout le monde dit en la voyant.

Oh ! mon Dieu, comment peut-on être aussi belle ? Une telle grâce.

— Vous voulez, finis-je par dire, que je vous aide à payer ses frais scolaires ?

— Monsieur, je veux que vous la sauviez… Cette fille a eu le malheur d'être belle et pauvre dans ce pays. Ils ne lui donneront aucune chance. Je l'emmène partout avec moi pour qu'ils ne la voient pas. Sinon, ils me tueront pour la prendre. Ça ne me ferait rien de mourir, croyez-moi, mais je ne veux pas leur laisser ma fille, pas elle, regardez-la, monsieur, son cœur est pur, je n'arrive pas à dormir rien qu'en pensant à ces bêtes assoiffées de sang qui la guettent… Le danger est partout, monsieur. Vous-même, vous êtes en danger.

— Comment ça ?

— Vous avez bon cœur. Je le sens, sinon vous auriez déjà cherché un prétexte pour renvoyer cette vieille folle. Prenez garde, monsieur, la mare est pleine de requins… Et elle, monsieur, pouvez-vous l'imaginer sans protection ?

En effet.

— Je ne peux pas faire ça, madame… Ah…

Elle baisse la tête, puis subitement met la main dans sa poche pour sortir une petite médaille de la Vierge qu'elle me tend.

— Marie est avec vous.

— Merci.

— Encore une fois, monsieur, prenez garde… De bons masques sont mélangés avec de mauvais masques, mais tous portent un masque.

Je les regarde partir. La mère et la fille.

Pays rêvé

Cé vié chaudiè qui cuitte bon mangé.

(C'est souvent avec une vieille chaudière qu'on
préparе les meilleurs repas.)

LA LANGUE

Je plonge, la tête la première, dans cette mer de sons familiers. Un air connu qu'on fredonne aisément, même si ça fait longtemps qu'on n'a pas entendu la chanson. Bousculade de mots, de rythmes dans ma tête. Je nage sans effort. La parole liquide. Je ne cherche pas à comprendre. Mon esprit se repose enfin. On dirait que les mots ont été mâchés avant qu'on me les serve. Aucun os. Les gestes, les sons, les rythmes, tout ça fait partie de ma chair. Le silence aussi.

Je suis chez moi, c'est-à-dire dans ma langue.

LE CORPS

Avant même d'entendre les mots, je comprends le sens. C'est le corps qui parle d'abord. Il le fait en ami ou en ennemi. Des fois, il peut être aussi chargé de désirs contenus. À ce moment, on dit qu'il est plein à craquer de sens. Le corps peut murmurer, crier, hurler, chanter, sans prononcer un seul son. Il peut même exprimer le contraire de ce que les mots disent. On ne comprend vraiment un homme que quand on peut capter ce qu'il veut dire avant même qu'il n'ouvre la bouche.

Voilà cet homme qui descend la rue Capoix et qui fait un vague geste de la main à un autre tranquillement assis sur sa galerie. L'autre baisse les yeux d'un air pénétré pour dire qu'il accepte. Il y a de fortes chances que le premier doive de l'argent au second et qu'il lui faisait comprendre qu'il n'était pas prêt à le rembourser.

Aucune parole n'a été prononcée durant cet échange.

LA CIGARETTE

L'homme vient de sortir de chez lui, le chapeau à la main. Il habite dans un de ces interminables corridors, en face de l'Hôpital général. Il lève les yeux vers le ciel. Le même ciel bleu. Rien de nouveau de ce côté. Il regarde un moment les gens passer. Et ce n'est qu'à ce moment qu'il consent à sortir la cigarette de la poche de son polo. Il la regarde intensément. Une boîte d'allumettes surgit tout à coup dans sa main. La flamme. La main qui protège la flamme du vent. Tout cela a été exécuté avec une élégance consommée. On voit bien que c'est un rituel extrêmement important pour lui. Finalement, il aspire longuement sa première bouffée. Les yeux mi-clos. Une espèce de joie profonde sur tout le visage. L'homme regarde, un moment, la cigarette qu'il tient entre l'index et le pouce avant de la porter à sa bouche.

LE CUIR

Je tourne au coin de la rue Monseigneur-Guilloux. Tout de suite cette odeur de cuir. La petite boutique du cordonnier est encore là, à la même place. C'est ici que ma mère m'emmenait faire réparer mes chaussures. Toujours vide. Je n'ai jamais rencontré un seul client ici. Je me suis toujours demandé, chaque fois que j'y venais, comment il se faisait qu'elle était encore ouverte. Avec si peu de clients. Le mystère reste entier pour moi, aujourd'hui encore. Au fond de la boutique, je vois la silhouette légèrement voûtée du vieux cordonnier. Dans la pénombre. Il est encore en train de travailler. Sa femme, toujours derrière le comptoir. Ils n'ont pas pris une ride. Pourtant, vingt ans ont passé. Et tant de choses sont arrivées durant ces vingt dernières années. Tant dans ma vie personnelle que dans l'histoire de ce pays. Lui, il n'a pas bougé du fond de sa boutique. Je le regarde en pensant qu'il ne s'est peut-être rien passé. Les choses prennent de l'importance parce qu'il s'agit de notre vie, de notre époque. Au fond, ce dont on a toujours besoin, c'est d'une bonne paire de chaussures.

LE SOIR

J e vois déjà moins clair, mais ce n'est pas encore la nuit. Les gens marchent un peu plus vite, comme s'il allait pleuvoir. Une certaine fébrilité dans l'air. Pour celui, comme moi, qui n'est pas pressé, c'est un moment d'une douceur infinie. Il fait moins chaud. Une joie secrète.

LA JEUNE INFIRMIÈRE

E lle descend du taxi et pénètre dans l'hôpital. Sans raison, je la suis. Le corps ferme, un visage ovale, de grands yeux. Je m'assois sur le banc, faisant semblant d'être malade. Juste pour l'observer. Elle parle calmement avec les gens. Elle les touche souvent au bras, au visage, pour les apaiser. Je mettrais facilement ma vie entre ses mains.

— Et vous ? me demande-t-elle quand mon tour arrive.

— Moi ! Je vous regardais simplement.

— Vous êtes un inspecteur ?

— Non, un curieux. J'aime regarder.

— Vous regardez quoi ?

— Tout. Tout m'intéresse.

— Vous venez d'arriver ?

— Aujourd'hui même.

— Et ça faisait combien de temps que vous étiez parti ?

— Vingt ans.

— Oh !… Moi, je n'ai jamais quitté mon pays.

On dirait qu'elle parle d'un malade grave qu'il ne faut seul laisser seul un instant.

— Vous n'aimeriez pas voyager ?

— Oh oui ! mais je n'ai presque pas eu de congés depuis que j'ai commencé ici, à l'Hôpital général. J'ai pris une semaine, il y a deux ans.

— Je veux dire, vous n'aimeriez pas aller travailler à l'étranger ?…

— Oh non !… Il y a tant à faire ici.

— Vous pensez que j'aurais dû rester ici, à aider, au lieu de passer vingt ans ailleurs ?

— Pas du tout… Chacun fait ce qu'il croit être juste.

— Mais vous n'en pensez pas moins…

— Non. Je dois vous quitter maintenant.

L'ange de la miséricorde.

L'AMBULANCE

Je suis encore tout étourdi par cette jeune infirmière (comment s'appelle-t-elle ?) : sa jeunesse, sa force, son calme, sa tendresse pour les autres. Cette façon qu'elle a de garder dans sa main la main des malades quand elle leur parle. J'arrive comme ça, un peu dans les nuages, devant la grande barrière de l'hôpital. Soudain, une sirène hurlante. Je suis face à cette ambulance.

— Fous le camp, imbécile ! me dit le chauffeur en passant sa tête par la portière.

J'hésite une seconde, me demandant si je dois continuer ou revenir sur mes pas.

— T'es sourd ou quoi ! Je ne vais pas rester là un siècle à t'attendre.

Je saute promptement sur le gazon. Et l'ambulance passe, me frôlant, dans un grand bruit de ferraille et de sirène. J'ai l'impression que le chauffeur avait pris la décision d'accélérer au moins deux secondes avant que je ne m'écarte.

LA NUIT

Je lève les yeux vers le ciel étoilé. Geste banal que des milliers de gens font chaque jour dans cette ville. Pour moi, c'est différent, ça fait vingt ans que je n'ai pas vu ces étoiles. Et la lune à travers les branches de cet arbre. Les cieux ne sont pas partout pareils. Ce ciel-là, je le connais pour l'avoir parcouru de long en large. Il y a des chemins dans le ciel. Déjà moins de monde dans les rues. Des silhouettes qui évitent de se croiser. La nuit, les chats blancs sont gris, et les chats noirs, invisibles. Je remonte

vers le morne Nelhio, les mains dans les poches. Exactement comme je le faisais à vingt-trois ans. Je reprends ma
vie au moment où je l'ai quittée. Je respire à pleins pou-
mons. Libre dans la nuit port-au-princienne.

DU FEU

Je vois venir un homme dans ma direction. Il s'arrête à
un mètre de moi. Moment de tension. De quel côté
est-il ? Celui de la mort ou celui de la vie ? Valse-hésitation.

— Avez-vous du feu ? me demande-t-il d'une voix
rauque.

— Non, dis-je, mais descendez un peu, je viens de
voir un type en train de fumer au coin de la rue, près du
cimetière.

Il passe à côté de moi en grognant des mots incompré-
hensibles. Je ne me suis pas retourné pour voir de quoi il
avait l'air, malgré un vif désir.

Pays rêvé

Pas croqué chapeau ou pi haut passé main ou ka rivé.

(N'accroche pas ton chapeau là où ta main ne pourrait pas arriver.)

Cela fait deux jours que j'essaie de rejoindre le docteur Legrand Bijou, psychiatre de renom. Sa secrétaire me répond invariablement qu'il était là il y a à peine cinq minutes, mais qu'il vient tout juste de partir.

— Qui dois-je annoncer ?

— Laferrière.

— Ah ! vous êtes l'écrivain ? Mais oui ! Je vous ai vu à la télé, hier soir. Je suis assez d'accord avec ce que vous avez dit… Attendez, je crois qu'il vient d'arriver… Je vous le passe tout de suite…

Un bref moment.

— Ah ! Laferrière… Comment allez-vous ?

— Bien, docteur.

— Écoutez, ne me parlez pas comme ça, vous n'êtes pas à l'hôpital. Appelez-moi Legrand.

— Oui, docteur.

— Bon… Vous vouliez me voir ?

— C'est le professeur J.-B. Romain qui m'a parlé de vous.

— Comment va-t-il, ce vieux sacripant ? Cela fait un moment que je ne l'ai pas vu.

— Il va bien. Je l'ai rencontré au sujet de l'armée des zombis…

Un long silence.

— OK, je pourrai vous voir, ce midi, au restaurant *Au Bec Fin*. Je serai à la table du fond… Ça vous va ?

— D'accord, docteur.

— Legrand.

— Alors, à ce midi, Legrand.

Restaurant *Au Bec Fin*. Midi. Table du fond.

— Pour moi, ce sera comme à l'ordinaire. Je viens manger ici chaque midi. Vous, je vous conseille leur cabri en sauce avec du riz blanc et un grand verre de jus cachiman. Voilà, j'ai composé votre menu, ça nous fera gagner du temps.

— Bien, monsieur Legrand, dit le serveur.

— Bon, dit le docteur, qu'est-ce que vous me voulez au juste ?

— C'est à propos de l'armée des zombis…

— Ce n'est pas de mon ressort… Pourquoi vous n'en parlez pas à J.-B. ?

— C'est ce que j'ai fait, mais il m'a parlé de quelque chose d'étrange qui se passe dans le nord-ouest du pays actuellement.

— En effet, c'est assez étrange. Bombardopolis, une minuscule petite ville, pas loin de Port-de-Paix. Les Américains sont en train de faire un recensement secret du pays. Ils ont cette manie de toujours vouloir compter les têtes de bétail. Ils veulent savoir combien on est. Cinq, six, sept millions ? Les officiels haïtiens se contredisent dans cette affaire. Pas moyen de savoir. Faut dire que le gouvernement haïtien n'en a rien à foutre de savoir combien on est. Pour quoi faire ? Donc, pas moyen de savoir pour les Américains. Un recensement en Haïti, tu parles… Les gens disent n'importe quoi. «Combien d'enfants avez-vous, madame ?» «Seize.» «Où sont-ils ?» «Tous les neuf sont à l'école.» «Et les autres ?» «Quels autres ?» «Les autres sept enfants.» «Mais, monsieur, ils sont morts.» «Madame, on ne compte pas les morts.» «Et pourquoi ? Ce sont mes enfants. Pour moi, ils sont vivants à jamais.» Comme vous voyez, Laferrière, nous sommes

différents des Nord-Américains. Deux visions différentes.
Les Américains soustraient leurs morts, nous, nous conti-
nuons à les additionner… Incompatibilité de caractères…

— Et à Bombardopolis ?

— Les enquêteurs sont donc arrivés à Bombardopolis, un matin. L'enquête s'annonçait bien. La routine quoi !
Les gens refusent de répondre directement aux questions
les plus banales, en apparence. « Comment vous appelez-
vous ? » « Vous voulez dire mon vrai nom, monsieur l'inspecteur ? » « Votre nom ? » « C'est un secret. » « Un nom
ne peut être un secret. » « Oui, monsieur l'inspecteur. »
« Alors comment on vous appelle généralement ? »
« L'homme. » « L'homme ? » « Oui, l'homme, c'est
comme ça. » Et chaque question déclenchait une cascade
de réponses les plus inusitées… Ce n'est que tard dans
l'après-midi qu'un enquêteur, un jeune homme de l'Iowa,
eut l'idée de poser cette question apparemment banale :
« Combien de repas prenez-vous par jour ? » La réponse
fusa : « Un par trimestre. » « Un quoi par trimestre ? » « Un
repas, monsieur. » « Et en quoi consiste ce repas ? » « Un
plat de riz avec un morceau de viande de porc. » « Et les
autres jours ? » « Rien. » « Rien quoi ? » « Rien, je ne
mange rien. » L'enquêteur-chef arrive sur les lieux, le len-
demain matin. Même topo. La station a immédiatement
alerté le quartier général, à Port-au-Prince, qui a vite fait
de dépêcher une équipe d'experts sur les lieux. Les trois
experts sont restés près d'une semaine à Bombardopolis,
la première fois. Selon eux, les habitants de la petite ville
de Bombardopolis n'ont rien pris, même pas un verre
d'eau, durant leur séjour là-bas. Huit jours, c'est pas mal,
mais on a déjà vu des grévistes de la faim faire mieux.
Alors le quartier général envoie une deuxième équipe avec
plus de pouvoirs. Ils sont restés vingt et un jours, et selon

l'étonnant rapport qu'ils ont présenté, les habitants de Bombardopolis, après vingt et un jours de jeûne, n'ont manifesté aucun signe de faiblesse physique ou même mentale.

— C'est étonnant, finis-je par balbutier.

— Oui, c'est assez étonnant, mais attendez la suite… Une troisième commission, composée, cette fois-ci, d'experts de la Food and Drug Administration, un puissant organisme fédéral américain… Eux, ils ont passé trois mois dans la petite ville, et ce n'est qu'après trois mois que les gens ont manifesté le premier désir d'un repas chaud. Naturellement, toute cette affaire est vite devenue un secret d'État. Vous connaissez la manie des Américains pour le secret…

— Et vous m'en parlez si aisément ?

Un court moment de silence.

— Eh bien ! dit le docteur Legrand Bijou avec un fin sourire, les Américains et nous n'avons pas la même notion du secret. Encore un cas d'incompatibilité de caractères. Alors, ils ont interdit l'accès à Bombardopolis en entourant la ville de barbelés. Maintenant, ils sont en train d'ouvrir le ventre de la poule aux œufs d'or pour savoir comment ça marche. C'est la seule manière qu'ils connaissent.

— C'est quand même une découverte assez importante, docteur, qui pourrait régler la question de la famine. On a toujours cru qu'il fallait une meilleure distribution des fruits de la Terre, ce qui s'est révélé un vœu pieux. Et si la solution était beaucoup plus simple que cela : éliminer l'obligation de manger pour vivre ?

— Bien sûr, c'est important, mais la réaction américaine était au premier abord totalement différente. Selon les puissantes compagnies d'alimentation qui vendent du

blé, des pommes de terre ou des oranges dans le monde
entier, il fallait tout simplement raser la petite ville de
Bombardopolis. Pour eux, un tel état de choses entraîne-
rait la mort de l'industrie agroalimentaire, ce qui serait un
coup mortel pour le capitalisme même. La nourriture étant
le premier bien de consommation. Il paraît que, selon la
CIA, la faim reste encore la plus puissante arme…

— Non, docteur, ça ne peut être une arme.

— Bien sûr que c'est une arme… Faut toujours leur
faire confiance pour ces questions-là. Chaque fois que la
CIA veut écraser un leader du tiers monde, elle n'a qu'à
affamer le peuple… Pendant un moment, ils ont vraiment
caressé l'idée de tuer tous les habitants de Bombardopolis
en leur inoculant une maladie quelconque… Je crois, la
peste blanche.

— Qu'est-ce qui les a empêchés de le faire, docteur ?

— La manie de savoir… Ils ne le feront jamais tant
qu'ils n'arriveront pas à savoir exactement pourquoi les
habitants de cette tranquille petite ville du nord-ouest
d'Haïti ne connaissent pas la faim.

— Merci de l'éclairage, docteur… J'aimerais que
vous me teniez au courant de cette affaire.

— Téléphonez-moi… J'aimerais vous montrer
quelques poèmes que je compose le soir.

— Ce sera avec plaisir, docteur.

— Legrand… N'est-ce pas que j'ai eu raison de vous
recommander ce cabri ?

— Tout à fait, Legrand… C'était succulent. Encore
une fois merci de m'avoir reçu si rapidement.

Pays réel

Bouche néguesse sans dimanche.

(La bouche de la femme ne connaît pas de dimanche.)

LE SOUPER

Ma mère est encore assise sur la galerie, bien cachée derrière les lauriers en fleur. De là, elle peut voir ce qui se passe dans la rue sans être vue.

— Tu m'attendais ?

— Non, je prenais le frais. Il y a un joli petit vent, ici, le soir.

— Je ne te crois pas, maman. Tu as toujours fait ça quand je rentrais tard le soir.

— Ça fait si longtemps… Tu sais, depuis quelque temps, c'est devenu encore plus dangereux ici.

— Je ne suis pas allé trop loin.

— Tu t'es arrêté à l'hôpital.

— Comment sais-tu cela, maman !

— Pierre me l'a dit. Il habite juste au coin de la rue. Il t'a vu là-bas, à l'hôpital. Il est venu tout à l'heure me demander si tu étais malade.

— Ça, c'est Haïti. On n'est jamais seul. Toujours un œil quelque part qui vous épie.

— Ton souper est là.

J'entre dans la salle à manger, suivi de ma mère. Un bol d'ovaltine m'attendait. Je me suis retourné pour sourire à ma mère qui se tenait encore debout dans l'encadrement de la porte. Le goût m'a surpris. Je me souviens brusquement de la réclame qui passait à la radio : « Ovaltine donne des forces. » C'est ce qui a dû convaincre ma mère, elle qui me trouvait trop faible à son goût.

Pendant toute mon adolescence, j'ai bu de l'ovaltine chaque soir.

LA PEUR

Je dors dans le lit de ma mère. Elle m'a fait une place. En fait, j'ai presque tout le lit à moi seul, puisque ma mère, comme à l'habitude, couche à l'extrême bord du lit. Elle me donne dos.

— Tout le monde a peur, dit ma mère, comme si on était au milieu d'une conversation commencée il y a un moment…

— Heureusement qu'on ne t'a jamais cambriolée.

— Je ne parle pas de ça, Vieux Os…

— Tu parles des tueurs, alors ?

— Non.

— Je ne te comprends pas, maman.

— On a peur. On a peur de ne pas exister. C'est de ça qu'on a peur.

— C'est ce que je voulais dire. Avec tous ces crimes…

— Non ! (Ma mère a presque crié.) Les crimes, ce n'est pas le pire.

Je n'interviens pas, pour lui donner la possibilité de bien expliciter sa pensée.

— Tu sais, Vieux Os… Tu ne peux pas savoir, tu n'étais pas là, mais c'est bien plus grave qu'on ne le croit, ce qui s'est passé, ici, dans ce pays.

— Qu'est-ce qui s'est passé ? Que veux-tu dire, maman ?

— On a l'impression d'être déjà mort, ici. Tout le monde, je veux dire les justes et les méchants. Tu vois, on

trouve des charniers un peu partout. Les tueurs ne sont pas
plus vivants que les tués. Nous sommes tous déjà morts. Il
a bien dit : «Laissez les morts enterrer leurs morts.» Tu
vois, j'ai passé ma vie à essayer de comprendre ce que le
Christ voulait dire par là. Je le sais maintenant. Tout est
clair pour moi, aujourd'hui. Nous sommes déjà morts.
Pierre, tu sais, notre voisin qui t'a vu à l'hôpital cet après-
midi, il m'a dit l'autre jour qu'il connaît un homme, un
tueur. Eh bien ! cet homme lui a confié qu'il ne sait pas
pourquoi il tue, que ça ne sert à rien, que c'est comme s'il
passait sa vie à se laver les mains pour les resalir immédiatement après. Il ne pouvait pas dire les choses clairement, mais Pierre le comprenait. Il a dit aussi à Pierre qu'il
a même déjà rencontré dans la rue des gens qu'il avait tués
auparavant… Ou bien nous sommes morts, ou bien nous
sommes vivants. On ne peut pas être les deux à la fois.
Moi, j'ai la certitude que nous sommes déjà morts et que
personne ne nous l'a dit. Et ça, Vieux Os, ce serait la pire
méchanceté envers nous… Nous tous, je veux dire les
tueurs et les tués.

Elle s'arrête un moment. On dirait qu'elle a besoin de
respirer un peu. Je regarde sa nuque. C'est de là que sort
sa voix.

— Cette ville est un grand cimetière. Toi, tu n'es pas
encore mort, alors fais attention. Ne fais confiance à personne. Ici, il n'y a ni bons ni méchants, juste des morts.

Je ne sais pas exactement quand le sommeil m'a
emporté, mais ce n'était pas assez profond puisque la voix
de ma mère me parvenait encore, parlant toujours de cette
fine frontière qui sépare la vie de la mort.

RÊVE

Je suis couché sur le dos, les bras en croix. Je me demande où je suis. Des voix me parviennent. Je reconnais la musique du créole. Peut-être suis-je encore à Montréal et que je rêve tout simplement que je suis à Port-au-Prince. C'est un rêve que je faisais souvent autrefois quand je venais d'arriver à Montréal. Je rêvais d'Haïti toutes les nuits. Je rêvais surtout que je marchais dans les rues de Port-au-Prince, ou que je conversais avec un ancien camarade de classe devant le stade Sylvio-Cator. Curieusement, j'ai rarement rêvé de ma mère à Montréal. Pendant une dizaine de secondes, j'ai bien cru que j'étais à Montréal et que tout se passait dans ma tête. Je suis bien à Port-au-Prince, et la voix que j'entends est celle de la voisine qui raconte quelque chose à ma mère.

LA RADIO

Ma mère avait placé un petit poste de radio près de ma tête. Machinalement, je l'ouvre. Une voix jeune et fraîche est en train de terminer la lecture des horoscopes. Je n'ai pas eu le temps de savoir ce que la journée réserve aux natifs du Bélier (mon signe astral). On passe déjà à la rubrique sport. Voix d'homme assez chaude et dynamique. Le but secret des chroniqueurs de sport, c'est de vous donner l'impression que vous êtes un flanc mou parce que vous n'êtes pas en train de courir le cent mètres, de lancer des javelots, de nager dans une piscine olympique. Ah ! ce que je déteste les chroniqueurs de sport, tôt le matin. En tout cas, on vient de m'informer que le Racing Club a battu Violette, hier soir, par deux buts à zéro. Cela me met en joie pour une raison bien simple. Le jour de mon départ, il y a vingt ans, Racing devait affronter Violette. Et là, j'ai l'impression d'arriver à temps pour les résultats. Comme si je n'avais pas quitté le pays. Je suis tendu comme un arc. À l'affût de la moindre sensation, de la plus fine émotion, de tout ce qui pourrait me donner l'impression de n'avoir jamais quitté le pays. Je voudrais que rien n'ait changé durant mon absence. J'aimerais reprendre furtivement ma place parmi les miens, comme si de rien n'était, comme si je ne les avais jamais quittés. En même temps, je ne renie pas mon voyage.

L'EAU CHAUDE

J'entre dans la salle de bains pour faire ma toilette. Tout est déjà prêt. La pâte dentifrice sur ma brosse à dents. Deux cuvettes d'eau, dont une remplie d'eau chaude. Je me lave, m'habille et descends pour déjeuner. C'est comme ça chez ma mère, et ce sera toujours comme ça. Je ne lui conteste pas le droit de me traiter en prince. C'est son éducation : elle a toujours considéré son fils comme un prince. C'est ça qui m'a permis de survivre au début de mon séjour à Montréal, quand les autres ne voyaient en moi qu'un Nègre de plus.

Quelqu'un quelque part, dans une petite maison à Port-au-Prince, a toujours pensé que j'étais un prince.

LE VOISIN

J'entends des voix dans la salle à manger. Un homme de grande taille est en train de raconter une histoire.

— Bonjour, maman.

— Bonjour, Vieux Os. Viens que je te présente à M. Pierre. C'est un ami de la famille.

— Bonjour, monsieur, dis-je à cet homme à la fois grand et maigre.

Deux yeux perçants dans une tête d'oiseau. Il se lève pour me serrer la main.

— C'est exactement la même personne... Quel homme cultivé, ton fils, Marie ! Oh la la ! quelle culture !

Je me retourne vers ma mère pour un supplément d'information.

— M. Pierre te voit souvent à la télévision. Il t'aime beaucoup. Chaque fois qu'il te voit, il m'en parle pendant des jours.

M. Pierre me regarde des pieds à la tête, comme pour me mesurer.

— Vraiment, vous nous faites honneur... Quelle culture !

Un silence.

— Merci, finis-je par dire.

Le visage rayonnant de ma mère.

— Bon, je dois partir, Marie. Je vais voir le notaire et il faut que je l'attrape avant neuf heures. Au revoir, j'espère qu'on aura l'occasion de discuter un peu. Je voudrais avoir votre opinion sur ce qui se passe dans ce pays en ce moment. Je suis content que vous soyez ici. On a terriblement besoin d'hommes comme vous. Bon, je ne vais pas me lancer dans un pareil débat quand je suis déjà en retard et que, vous-même, vous avez sûrement beaucoup de choses à faire, ce matin. Bon, moi aussi, j'ai des petites choses à régler. Bon, au revoir. À cet après-midi, Marie. Si le notaire me fait la moindre ouverture, je lui toucherai un mot de ta part.

— Ne gâte pas tes chances… Laisse-le t'en parler d'abord, fait ma mère en le reconduisant à la porte.

M. Pierre est obligé de baisser la tête pour franchir la porte. Pour la première fois, je réalise que ma mère est une femme et qu'il existe une relation spéciale entre elle et cet homme. Pour lui, elle est simplement Marie. Curieux destin que celui de ma mère ! Les deux hommes de sa vie (pas les deux seuls, j'espère) ont passé la majeure partie de leur vie en exil. Mon père et moi. Mon père ayant dû quitter le pays quand j'avais cinq ans, c'est donc la première fois que je vois ma mère parler à un homme, en tant que femme. Tout paraît calme, mesuré, mais l'intimité reste évidente. Honnêtement, cela fait toujours un choc, même à quarante-trois ans, de voir sa mère en femme.

DU SUCRE

— Mange, me dit ma mère, sinon ça va refroidir… Veux-tu du sucre dans ton jus ?

— Bien sûr, maman.

— C'est ce que je pensais. Renée m'a dit que tu ne prends plus de sucre.

— C'est pas ça que j'ai dit, lance tante Renée de sa chambre. Je ne suis pas encore morte, Marie, alors ne mets pas de mots dans ma bouche. J'ai dit que dans les pays évolués les gens ne prennent pas de sucre.

— Tante Renée a raison, maman… Mais, ajouté-je tout bas, tu peux me mettre un peu de sucre quand même.

— Tu vois, hurle tante Renée de sa chambre, je t'avais dit qu'il ne prendrait pas de sucre.

Ma mère me fait un clin d'œil complice.

CAROTTE

— **P**rends encore un peu de carottes, Vieux Os.
        — C'est bon pour les yeux…
        — Oh ! tu te rappelles, me dit ma mère, presque les larmes aux yeux.
        — Bien sûr, maman, ça m'a marqué. Et je continue à détester les carottes.
        — Alors, pourquoi tu m'en as demandé ?
        — Simplement pour t'entendre dire que les carottes, c'est bon pour les yeux.

UN CADAVRE AU DÉJEUNER

Le déjeuner continue.
        — Pierre m'a dit ce matin qu'on a trouvé un cadavre devant la boulangerie *Au Beurre Chaud*, à Bois Verna. Il paraît que c'est un jeune vendeur. Il était venu acheter du pain pour aller le revendre… Un pauvre marchand ambulant. On l'a tué et on lui a pris son argent. Pauvre garçon. Chaque matin, on trouve deux ou trois cadavres dans cette ville.

L'EAU CHAUDE

Tante Renée vient d'arriver dans la salle à manger.
        — Qui a mis la cuvette d'eau chaude dans la salle de bains, à l'étage, ce matin ? je demande à ma mère.
        Elle ne me répond pas, faisant semblant d'être occupée à ranger les assiettes sur les étagères.

— Je ne suis pas d'accord, maman… Tu ne peux pas transporter une cuvette d'eau chaude en haut comme ça. Ça n'a aucun sens.

— Ne te fâche pas, Vieux Os. Tu dois faire ta toilette…

— Si j'ai besoin d'eau chaude, je n'ai qu'à descendre en chercher.

— C'est pas lourd, tu sais.

— Non, maman… Si tu refais ça, je vais à l'hôtel.

Ma mère baisse la tête comme un enfant pris en défaut. Je sais que ça lui fait mal que je parle d'aller à l'hôtel, mais je ne peux pas faire autrement si je veux arrêter l'escalade, sinon, demain matin, elle m'apportera ma brosse à dents au lit.

— Tu fais bien de lui parler, Vieux Os… Marie pense qu'elle est encore une jeune femme. C'est elle qui fait tout ici. Personne ne doit l'aider. Si ça continue, elle tombera, un jour.

— Ne t'inquiète pas, tante Renée, je suis là maintenant.

Tante Renée me fait un sourire radieux.

— C'est ce que je dis toujours, cette maison manque d'homme, conclut tante Renée.

— Renée ne connaît rien aux hommes, me glisse ma mère à l'oreille.

Pays rêvé

Nous connin, nous pas connin.

(On sait, et on ne sait pas.)

Notre voisin arrive en coup de vent.

— Qu'est-ce qui s'est passé, Pierre ?

— Personne ne m'avait dit qu'il n'était pas à Port-au-Prince. Imagine, Marie ! ça fait deux jours que le notaire est parti dans le nord-ouest, à Bombardopolis. C'est fou, ça fait au moins trois personnes de ma connaissance qui se sont rendues là-bas, en l'espace d'une semaine.

— Mais qu'est-ce qu'il y a à Bombardopolis ? demande ma mère uniquement pour montrer un intérêt à la conversation.

— Je ne sais pas, Marie. Il paraît que les Américains sont là-bas. Ça ne m'étonnerait pas que les Américains soient en train d'installer une station spatiale à Bombardopolis.

— Vous croyez ? je demande.

— Bien sûr, ils ne l'ont jamais pris qu'on ait été là-haut avant eux.

— Là-haut où, monsieur Pierre ?

— Sur la Lune.

— Je n'ai jamais entendu parler de ça, dis-je.

— Qu'est-ce que vous croyez ! Que les Américains allaient diffuser l'information qu'ils n'étaient pas les premiers à marcher sur la Lune ? Il paraît que Kennedy est entré dans une rage folle quand il a appris la présence d'un Haïtien sur la Lune, visiblement arrivé avant Armstrong.

— Je n'ai jamais entendu cette histoire.

— Bien sûr, c'est un secret d'État.

Ma mère apporte du café neuf.

— Comment ça s'est passé ?

— D'abord, Armstrong est arrivé sur la Lune avec la conscience d'être le premier homme à fouler ce sol. Il commençait à faire ses légendaires sauts de kangourou quand il entendit une voix derrière lui : « Hé ! l'ami, t'as pas une cigarette ? Ça fait trois jours que je n'ai pas fumé. Tu sais ce que ça veut dire pour un fumeur. » Armstrong s'est retourné pour voir un Haïtien hilare assis derrière lui. Mais ça, on ne l'a jamais montré au grand public. Bien sûr, les antennes ultra-sensibles de la NASA ont capté cette conversation, mais Kennedy a interdit sa retransmission. Kennedy comptait beaucoup sur cette opération pour se faire réélire…

— Donc, l'Haïtien a précédé Armstrong d'au moins huit jours.

Ma mère s'est assise dans un coin pour nous écouter, l'œil aux aguets. Elle surveille chez moi le moindre sourire moqueur. Ma mère se trompe, cette histoire m'intéresse vraiment dans la mesure où je veux savoir comment fonctionne l'esprit haïtien.

— Mais lui n'était pas le premier. C'était un certain Occlève Siméon, un paysan de Dondon. Et dire qu'il n'était même pas le premier.

— Pourquoi le gouvernement haïtien ne l'a pas fait savoir au monde entier ? Ça nous aurait fait une bonne publicité.

M. Pierre a ce geste las pour me faire comprendre que les Occidentaux sont souvent très bornés. Bien sûr, ils se pensent plus intelligents, plus évolués que tout le monde, à quoi bon leur expliquer que certaines personnes n'ont pas besoin d'une fusée pour aller sur la Lune…

— Même pour moi, monsieur Pierre, c'est un peu difficile à comprendre…

— Écoutez, mon jeune ami… Eux, ils sont intéressés par le voyage du corps. Nous, c'est l'esprit. En un sens, Kennedy a raison, c'était bien la première fois qu'un corps humain était présent sur la Lune, mais ce n'était pas la première fois qu'un esprit y était, ça, tu peux le dire.

Il rit. Un grand éclat de rire sonore, joyeux, heureux, le rire d'un homme sûr de son fait, qui n'a rien à prouver au reste de la planète, le rire d'un homme heureux d'être chez lui, dans son pays.

— Vous parlez de l'esprit, mais l'homme qu'Armstrong a vu, le type qui lui a demandé une cigarette ?

— Bien sûr, Armstrong n'avait pas la berlue. Il l'avait bien vu, mais était-ce un corps réel ou un corps rêvé ? Je crois que c'était un corps transparent. Ce n'est pas seulement sur la Lune qu'on rencontre ces corps projetés. Pour dire les choses brutalement, les Haïtiens aiment circuler ainsi dans l'espace.

Je n'ai pas l'impression d'avoir bien compris.

— Que voulez-vous dire par là ? je demande, vraiment intéressé.

Sourire de ma mère.

— Cher ami, me dit-il, la moitié des gens que vous rencontrez dans la rue sont ailleurs en même temps. Vous me comprenez ?

Non, je n'avais pas encore compris, mais je ne voulais pas le dire à M. Pierre pour ne pas le décevoir. Voilà ce que c'est que d'avoir passé près de vingt ans hors de son pays. On ne comprend plus les choses les plus élémentaires.

Pays réel

Bœuf qui gain queue pas jambé difé.

(Le bœuf à la longue queue doit éviter de traverser
le feu.)

LE LIT

Je rattrape ma mère au pied du morne Nelhio, pas loin du cimetière. «Tu verras, m'a dit tante Renée, elle ne marche pas, elle vole.» Nous marchons un moment côte à côte, puis ma mère me prend par le bras, comme elle a toujours fait quand on va quelque part ensemble.

— J'ai besoin d'un lit, lui dis-je sur un ton naturel.

Ma mère accélère brusquement le pas.

— Je peux te laisser le mien… Je dormirai en bas avec Renée, dit-elle un peu sèchement.

Je sais qu'elle a peur de la chambre de Da. Ma mère, si brave par ailleurs, a un côté petite fille qui a peur des fantômes. De plus, le lit de tante Renée est beaucoup trop étroit pour deux personnes. Elle serait alors obligée de coucher dans le lit de Da. Et ça, il n'en est pas question.

— Non, maman, j'aimerais rester dans la chambre avec toi, mais il me faut un lit.

— Tu n'as pas assez d'espace, Vieux Os ?

— Au contraire, j'ai tout le lit à moi seul, et ça me gêne.

Elle tourne vers moi ce visage d'enfant triste, presque au bord des larmes. Ma mère fait un effort considérable, je le vois, pour accepter le fait que si je suis encore son fils, je ne suis plus un enfant. Elle a vu partir un jeune homme de vingt-trois ans qui vivait encore sous son toit et sa loi, et là, elle retrouve un homme.

— Bon, je dormirai par terre, devant le lit.

— Tu plaisantes, maman…

— Je l'ai déjà fait quand il y avait beaucoup de gens à la maison.

— Je veux un lit à moi, maman… Rappelle-toi que tu m'as déjà sevré.

Cette fois-ci, elle a ri. Ma mère se cache toujours la bouche derrière sa main pour rire depuis qu'elle a perdu quelques dents sur le côté gauche.

LE TERRITOIRE

On entre maintenant dans le territoire de ma mère. La zone des magasins. Le centre-ville. À partir de maintenant, elle connaît tout le monde. Cela fait plus de quarante ans qu'elle vient ici, chaque jour, sauf le dimanche. Elle s'arrête à chaque cent mètres pour saluer quelqu'un qu'elle a vu la veille. Se promener dans le quartier commercial a toujours été la grande passion de ma mère.

L'HOMME

Pas loin de la librairie Auguste, un homme la retient par le bras.

— Marie !

Ma mère se retourne. Sourire de jeune fille.

— Ah ! Robert… Comment ça va ?

L'homme me jette un bref et discret coup d'œil. Ma mère ne me présente pourtant pas.

— Qu'est-ce qui t'arrive ? demande ma mère sur un ton à la fois enjoué et grave.

— J'ai reçu une petite promotion, tu sais, dit-il en touchant le bras de ma mère… Je suis à l'étage, maintenant. Au contentieux.

— Ah! c'est pour ça, dit ma mère, que je ne te vois plus quand je passe à la banque.

— Je suis content de te voir, Marie, dit-il avec un large sourire, mais je dois filer. Monte me voir quand tu passeras dans le coin, je suis au premier, à côté du bureau de Raymond. D'accord? fait-il avec un sourire qui se veut enjôleur.

Je suis aux anges de voir ma mère dans une situation de flirt. Elle me paraît un peu gênée. Je regarde, un moment, l'homme fendre la foule, vers la rue Pavée.

— C'était qui? je demande après un moment.

— Ah! Robert… C'est un caissier de la Banque Nationale. Il est toujours très gentil avec moi. Il fait toujours diligence pour moi quand je vais à la banque.

— Maintenant, il a reçu une promotion, dis-je encore, après un moment.

— Oui, dit ma mère, il est au premier avec Raymond.

— Pourquoi tu ne m'as pas présenté?

— Oh! il était pressé, répond ma mère.

— Dis la vérité, maman…

Elle me serre le bras.

— Bon, je ne lui avais pas dit que j'avais un enfant.

— Quoi! Tu as honte de moi! je dis, juste pour la taquiner.

Le visage de ma mère se rembrunit.

— Je n'aurai jamais honte de toi, dit-elle sur un ton grave. Seulement, je ne voulais pas le mêler à ma vie privée. C'est tout. Je n'avais pas l'intention de te blesser.

— Je ne suis pas blessé, mais jaloux…

Ma mère vient de s'apercevoir que je plaisantais. Elle rit de cette manière très coquette que je ne lui connaissais absolument pas.

L'ARGENT

J'ai sur moi de l'argent américain que je veux changer en monnaie du pays. Nous croisons déjà quelques types qui nous offrent deux cent cinquante dollars haïtiens* pour cent dollars américains, mais ma mère les ignore.

— Mais maman, je dis…

— Attends… Ne sois pas pressé, on va faire un tour près de la Téléco (la compagnie de téléphone) pour savoir exactement le taux du jour.

On y arrive en se frayant un passage à travers une foule de plus en plus compacte. Encore une fois, ma mère ne s'arrête même pas.

— Qu'est-ce qu'on fait, maman ?

— Je voulais simplement savoir ce qu'on offrait.

— Le taux est à combien ?

— Tu ne prêtes pas l'oreille !

En effet, j'entends un bourdonnement incessant.

— Écoute, dit ma mère… Tu vois, ça va jusqu'à deux cent soixante-cinq dollars pour cent dollars américains.

— C'est mieux que là-bas… On achète ?

— Attends… Ici, c'est plein de voleurs. Allons plutôt du côté de Radio-Métropole.

On arrive près de la station de radio.

— Madame, je suis là, dit un long jeune homme mince en surgissant pratiquement devant nous. Je vous attendais.

— Rejoins-nous à la pharmacie Séjourné, lance ma mère sans même le regarder.

---

*   Un dollar haïtien équivaut à cinq gourdes. La gourde est la monnaie nationale.

La transaction s'est faite sur la galerie de la pharmacie. Et après avoir négocié rudement pendant une bonne
dizaine de minutes, ma mère a fini par accepter l'offre du
jeune homme de deux cent soixante-cinq dollars haïtiens
pour cent dollars américains.

— Laisse-moi recompter, dit le jeune homme en
reprenant l'argent vivement des mains de ma mère.

— Tu peux garder ton argent, dit ma mère en s'en
allant à grands pas.

Je cours pour la rattraper.

— Qu'est-ce qui se passe, maman ?

Le jeune homme nous a rejoints.

— C'est simple, il voulait me voler.

— Moi, madame, jamais je n'aurais fait une chose
pareille, surtout à une cliente comme vous.

— Alors pourquoi tu m'as repris l'argent des mains ?

Le jeune homme baisse la tête.

— Tu sais comment ils font ? me dit ma mère devant
lui... Ils comptent l'argent une première fois, et le compte
est toujours bon. Toi, tu comptes à ton tour, ça va encore.
Mais ils décident de recompter, et c'est à ce moment qu'ils
glissent un billet dans leur manche.

— Je ne vous aurais jamais fait ça, madame.

Je me tourne vers lui.

— Donc c'est vrai ce que ma mère dit là ?

Regard gêné du jeune homme.

— Oui, il y en a qui font ça, finit-il par murmurer.

— Bon, c'est la dernière fois que tu tentes ça, sinon
je ne ferai plus jamais d'affaires avec toi, d'accord ?

— Oui, madame.

LA JUNGLE

On continue vers la grand-rue. La foule en sueur. Bruit infernal des taps-taps qui vont du portail Léogâne au portail Saint-Joseph.

— Je te trouvais injuste tout à l'heure jusqu'à ce que le jeune homme n'ait avoué.

Ma mère sourit.

— Il faut faire très attention avec tout le monde, ici… Arrête-toi un moment.

Nous nous appuyons contre le mur. Les gens nous frôlent sans nous jeter un seul regard.

— Tu es fatiguée, maman ?

— Non, dit-elle après un moment. Je veux savoir si personne ne nous suit. On a tué une femme comme ça, la semaine dernière. Ils l'ont suivie jusqu'à sa maison et sont revenus, la nuit, lui voler son argent. Comme elle a tenté de résister, ils l'ont égorgée.

— Seigneur ! maman, fais attention…

— Je ne vais jamais là avec plus de cent dollars américains et je ne vois pas souvent la même personne. Par exemple, ce garçon, c'est fini.

— Pourtant, tu lui as laissé croire…

— Oui… C'est fini, sinon la prochaine fois il tentera autre chose.

— Mais pourquoi tu ne vas pas plutôt à la banque, maman ?

— Je vais à la banque pour d'autres transactions… Ils ne donnent rien à la banque pour cent dollars américains… Et tout est si cher, Vieux Os. Tu ne peux pas savoir…

Il y a vingt ans, j'ai laissé une femme étonnamment naïve, aujourd'hui, je retrouve, non pas une tigresse, mais un animal parfaitement capable de se défendre dans l'une des plus terribles jungles humaines.

CHEZ SIENNE

— Elle est là? demande ma mère à l'une des jeunes vendeuses.

— Oui, au fond.

Je suis ma mère jusqu'au fond du magasin.

— C'est qui? demande quelqu'un assis dans la pénombre.

— C'est moi. Marie.

— Ah! c'est toi. Viens.

— Je t'avais dit que je l'amènerais te voir.

Sienne se lève promptement.

— Ah! c'est lui! Oh! qu'il est grand! Il est plus grand que toi, Marie.

— Eh oui! dit ma mère avec fierté.

— Tourne-toi un peu que je te voie... Ta mère me parle de toi depuis des années. Des fois, quand elle était découragée, c'est ici qu'elle venait, car il arrivait que tu passes des années sans lui donner signe de vie. La pauvre ne savait pas si tu étais mort, malade ou enterré. Ce que cette femme a souffert! Heureusement qu'elle a la foi.

— C'est vrai aussi, Sienne, que tu m'as toujours soutenue dans les pires moments... Et Dieu aussi.

— S'il te plaît, Marie, ne me mets pas sur le même pied que Dieu. C'est simplement Jésus qui t'a permis de traverser ce calvaire.

— Mais c'est lui qui t'a mise sur mon chemin.

Sienne ferme doucement les yeux comme pour accepter pleinement le fait d'avoir été l'instrument de Dieu.

— Il paraît, dit-elle, que tu es devenu quelqu'un, là-bas…

Elle a dit ça en me regardant droit dans les yeux avec un sourire énigmatique.

— Mais ce n'est pas une raison pour oublier ta vieille mère, ajoute-t-elle avec un léger rire dans la gorge.

— C'était avant. Maintenant, il s'occupe bien de moi, s'empresse de dire ma mère, prenant ainsi ma défense.

— J'espère, conclut Sienne sur un ton faussement sévère… Maintenant, dis-moi ce que tu fais ?

— Il écrit des livres, lance ma mère presque joyeusement.

— Ah bon !… Et tu fais de l'argent avec ça ? me demande Sienne un peu brutalement.

— L'argent n'est pas très important pour les artistes, intervient de nouveau ma mère.

— Marie, laisse-moi lui parler. Je ne vais pas manger ton fils.

Ma mère fait un léger pas en arrière. Encore son sourire crispé.

— C'est très important, l'argent, je dis. Ça nous libère de toutes sortes de contraintes.

Sienne acquiesce fortement de la tête.

— Un métier, je continue, doit nourrir son homme.

— Voilà ce que je voulais savoir. Marie, ton fils est un homme.

Pourquoi je me conduis comme un jeune homme de vingt ans en présence des amis de ma mère ? On est toujours un enfant à côté de sa mère, surtout si elle ne t'a pas vu depuis vingt ans. Les années d'absence ne comptent pas.

— Je vais te laisser, Sienne, parce qu'on a beaucoup de choses à faire aujourd'hui.

— Je sais, dit Sienne, maintenant que ton fils est là, on ne te verra plus…

— Ne dis pas cela, dit ma mère en riant, cette fois.

Encore son rire de jeune fille.

LE MATELAS

Ma mère m'a emmené chez un matelassier, rue de l'Enterrement, cette longue rue qui mène droit au cimetière. L'homme s'appelle Nazon. Un véritable homme d'affaires. Il possède une sorte de bric-à-brac où il vend toutes sortes de choses : matelas, robes, chaînes, montres, pièces d'automobiles, machines à coudre, lampes, etc. Dans la pièce à côté, sa femme tient un minuscule salon de coiffure. Nazon est aussi prêteur sur gages. Mais sa vraie passion, c'est le matelas. Selon ma mère, il confectionne les meilleurs matelas de Port-au-Prince, dans un petit atelier installé dans son arrière-cour. Deux jeunes garçons sont en train de préparer le coton au moment où nous arrivons.

— C'est pour moi, ce matelas, jette ma mère en désignant la masse de coton par terre.

— Non, c'est à quelqu'un d'autre.

— J'ai besoin d'un bon matelas pour cette nuit. J'en ai vu quelques-uns en avant.

— N'achète pas ça, il n'y a rien de bon en avant, dit-il en faisant ce geste désinvolte de la main en direction de son bric-à-brac.

— Alors, demande ma mère sur un ton ferme, peux-tu me garantir que j'aurai un matelas pour cette nuit ?

— Bon, commence Nazon…

— Patron, dit l'un des jeunes garçons, M. Jérôme va venir chercher son matelas tout à l'heure.

— Ah! c'est vrai… J'avais complètement oublié. Ce sera difficile de préparer un matelas pour aujourd'hui. Qu'est-ce qu'il y a pour demain?

— Demain, patron, c'est possible…

— Alors, dit Nazon, ce sera demain, sans faute.

— Je vois que les affaires vont bien, lance ma mère sur un ton badin.

Nazon fait une petite grimace.

— On a beaucoup de travail, mais ça ne veut pas dire qu'on fait plus d'argent.

— Qu'est-ce que tu racontes là? Si tu as plus de travail, tu as plus d'argent, lance ma mère.

Le visage de Nazon devient subitement grave.

— Avant, je travaillais seul, alors que maintenant, il me faut deux ouvriers que je dois payer. Plus de travail, mais moins d'argent en définitive dans ma poche.

— Cesse de te plaindre, vieux grigou, dit ma mère, tu dois être aussi riche que Crésus maintenant.

— Ah! madame, ne dis pas ça. Il y a des oreilles méchantes dans le voisinage. Les gens vont croire que j'ai une fortune cachée.

— À demain, Nazon, sans faute.

— Comme nous disons…

Pays rêvé

*Nèg d'Haïti va caché ou mangé, min yo pas caché
ou parole.*

(L'Haïtien ne t'offrira peut-être pas à manger,
mais il sera toujours à ta disposition pour parler.)

Je sens une présence dans mon dos. Je me retourne brusquement. L'homme enlève tout de suite son chapeau.

— Honneur.

— Respect, je fais, selon la coutume paysanne.

Il plie légèrement ses deux genoux en les tenant l'un
derrière l'autre, en ligne droite.

— Renée, c'est ma filleule.

Tante Renée est debout, au fond de la cour, près de la
barrière jaune.

— Renée, c'est ma filleule, répète-t-il… À l'époque,
j'étais un grand paysan, un paysan des Palmes. Je vendais
beaucoup de café à votre grand-père. On était devenus si
proches qu'il m'a donné Renée à baptiser. C'était un
grand honneur… Renée, c'est notre enfant. (Il regarde
vers les mornes.) Personne ne peut lui faire de mal. Elle
est bien protégée. (Il fait une légère génuflexion.)

Un silence.

— Mais, ajoute-t-il tout de suite, je ne suis pas venu
pour ça.

Une mangue tombe en l'effleurant. Il ne bouge pas.

— Asseyez-vous, dis-je.

— Non. (Il fait un vif mouvement de recul.) Je ne
suis pas venu prendre votre temps. Je voudrais simplement
que vous m'expliquiez quelque chose.

— Si possible, mais je n'ai pas l'impression de savoir
grand-chose.

Il sourit pour apprécier mes bonnes manières. Je connais l'extrême politesse des paysans.

— On dit que vous écrivez un livre sur les morts.

— Pas exactement.

— C'est ce qu'on dit, continue-t-il, imperturbable, comme si ce qu'on disait était plus important que ce que j'avais à dire.

— Mais je viens à peine de commencer le livre…

— On dit aussi que vous venez de l'étranger.

— C'est vrai.

Son visage s'éclaire d'un sourire radieux.

— Bon… Voilà… Je m'excuse de vous le dire comme ça. J'aimerais savoir comment pouvez-vous écrire à propos des morts quand vous n'avez jamais été mort ?

Il s'essuie le front avec un large mouchoir rouge.

— En effet, finis-je par admettre. Je compte me servir de mon imagination.

Il me jette un bref coup d'œil un peu de biais. Pour la première fois depuis le début de la conversation nos yeux se sont croisés.

— Supposons, dit-il en regardant de nouveau par terre, que vous soyez mort…

Je sens un léger frisson me parcourir le dos. Il sourit, conscient de son effet.

— Et que, après quelque temps, vous — il pointe vers moi un doigt énergique — vous estimiez avoir l'expérience nécessaire pour écrire votre ouvrage sur les morts.

Je remarque qu'il ne dit jamais la mort, mais les morts.

— Je ne connais personne, du moins aucun écrivain, qui ait réussi un tel exploit, finis-je par balbutier.

Il rit carrément. La tête vers le ciel. Comme s'il riait de Dieu.

— Supposons que vous puissiez le faire, vous.

— Il y a des gens qui racontent qu'ils sont allés très proche de la mort, sur la frontière entre la vie et la mort,

et qu'ils ont vu une lumière aveuglante et, paraît-il, une
porte aussi…

Il reste un moment silencieux avant de relever vivement la tête.

— Supposons que vous franchissez cette porte.

Un long silence.

— Ça vous intéresse ?

— Bien sûr que c'est tentant… Vous me demandez ça
comme ça. Je ne sais pas. Vous savez, dans l'écriture il y
a une grande part de fabulation.

Il me jette ce regard de biais avec un petit sourire au
coin des lèvres.

— Ne vous inquiétez pas. Je ne vous laisserai pas là-
bas. N'ayez pas peur… (Il se remet à rire.) Je dois trop à
votre grand-père pour qu'il vous arrive quoi que ce soit…

Il me regarde cette fois droit dans les yeux.

— Si ma proposition vous intéresse, vous n'avez qu'à
me faire signe.

— Comment ça ?

— Je le saurai… Maintenant, je ne veux plus vous
faire perdre votre temps.

Il retourne vers la maison. Je le vois cracher trois fois
dans la main gauche de tante Renée avant de franchir la
barrière. Tante Renée s'approche de moi. Elle piétine son
ombre en marchant. Déjà midi.

— Lucrèce t'a parlé… C'est mon parrain.

— Oui, dis-je en essayant de garder mon calme, il
m'a proposé de m'accompagner de l'autre côté.

Tante Renée semble songeuse un moment.

— Il t'a proposé ça ?

— Oui. C'est ce qu'il vient de me dire à l'instant.

— C'est étrange, murmure tante Renée presque pour
elle-même… C'est la première fois qu'il propose ça à

quelqu'un. Il y a des gens qui le supplient depuis des années, et il refuse. Toi, la première fois qu'il te voit…

— Il était sérieux alors ?

Tante Renée hoche doucement la tête d'un air grave.

— C'est un homme très puissant, dit-elle sombrement.

— En tout cas, dis-je, il n'est pas bien riche malgré toute cette puissance… (Ça se voit que j'ai vingt ans de capitalisme dans les veines.)

— Oh ! dit tante Renée, tu m'as vue peut-être lui donner un peu de monnaie. L'argent, c'est rien. Il n'a pas le droit d'en gagner. Il vit dans les deux mondes.

— Deux mondes ?

— Oui, il traverse presque chaque jour la frontière… C'est un passeur.

— Tu crois à ça, tante Renée ?

— Je sais que ça existe.

Tante Renée est une catholique fervente. Elle croit dans le Christ et en même temps dans les pouvoirs de Lucrèce. La possibilité qu'il a de traverser les frontières comme bon lui semble. De changer de monde, selon ses désirs. D'aller du côté des vivants comme de celui des morts. Et cet homme me fait le plus terrible marché qu'on puisse faire à un écrivain, lui proposer de le conduire au royaume des morts. Au nom de ce lien mystérieux qui l'unit à mon grand-père, il me donne aujourd'hui la possibilité d'être plus grand que Dostoïevski, aussi grand que Dante ou que l'apôtre Jean, dit le bien-aimé, à qui on a fait voir, un jour, la fin du monde. Il me donne la possibilité d'être plus grand qu'un écrivain. De devenir un prophète. Celui qui a vu. Séjourner parmi les morts et revenir chez les vivants en rendre compte. Traverser le voile des apparences. Vivre un temps dans le vrai de vrai. Plus de comédie, plus de tragédie. Seulement la vérité. L'éclatante vérité. Le plus vieux rêve des hommes. Jésus a fait revenir Lazare sur la Terre. Cela fait longtemps que je n'ai pas ouvert la Bible, mais si ma mémoire est bonne, je ne crois pas que cette résurrection fut un succès. Lazare sentait encore la mort et avait l'air d'une coquille vide. L'esprit ne l'habitait plus. Un zombi. Ce que me propose Lucrèce semble beaucoup plus intéressant. J'irai voir comment cela se passe là-bas, puis je reviendrai parmi les hommes. Un reporter au pays sans chapeau.

Pays réel

Pito nous laide nous la.

(Mieux vaut être laid, mais vivant.)

UN TAXI

Nous revenons de chez le dentiste. Le visage fermé de ma mère. D'un geste de la main, elle hèle un taxi.

— Ruelle Bécassine, en haut du morne Nelhio, dit ma mère avec une certaine franchise.

Le visage en sueur du chauffeur de taxi. Il crache brusquement par terre, à côté de mon pied gauche.

— Si vous voulez que je grimpe le morne Nelhio, madame, il faudra payer le double du prix.

— Et pourquoi ? demande ma mère sur un ton sec. C'est une petite colline de rien du tout.

— Alors pourquoi vous ne la montez pas à pied ? répond le chauffeur qui ne s'est pas laissé intimider par ma mère.

— C'est pas ainsi que vous vous ferez des clients, réagit ma mère.

Le taxi démarre brusquement. Ma mère a dû faire un léger bond en arrière. Immédiatement un second taxi s'arrête à côté de nous.

LE SECOND TAXI

Le chauffeur passe sa tête hirsute par la portière pour s'adresser à ma mère.

— Où allez-vous, madame ?

— En haut de Nelhio… Ruelle Bécassine.

Le chauffeur fait une curieuse grimace avec sa bouche.

— Montez donc, mais je passe d'abord au Bas-peu-de-chose, et ensuite à Martissant.

Ma mère hésite un moment.

— D'accord, fait-elle d'un ton résigné.

TÉMOIN DE JÉHOVAH

On monte à l'arrière, à côté de cette dame avec un panier sur les jambes. La jeune femme, en avant, ressemble à quelqu'un que je connais, mais je ne peux pas vraiment le savoir, vu que je suis assis juste derrière elle.

— Ce taxi est béni, dit le chauffeur à peine sommes-nous installés, puisque je suis un témoin de Jéhovah. Quelqu'un, ici, a-t-il déjà rencontré Jéhovah ? Moi, je l'ai rencontré. Vous ne me croirez pas si je vous dis quelle sorte d'homme j'étais avant de le rencontrer.

Le taxi roule. Un public captif.

— J'étais le plus grand alcoolique et le plus grand coureur de jupons de cette ville… (Il se tourne vers moi.) Oui, mon frère… Chaque jour, il me fallait trois bouteilles de rhum et une nouvelle femme. Chaque jour que Dieu fait. Et je les trouvais. (Je sens encore une légère fierté dans sa voix.) C'est facile de faire le mal, mais le bien, ah ! le bien, c'est une autre paire de manches. (Il frappe le volant plusieurs fois avec la paume de ses mains.)

— *Amen*, dit la femme assise à l'arrière avec nous.

Ma mère regarde droit devant elle, comme quelqu'un qui fait un effort surhumain pour ne pas prêter attention à ce qui se dit.

— Ah oui ! j'étais marié… Non, non, cela ne veut pas dire que je n'étais pas marié à l'époque, et j'avais aussi des

enfants avec ma femme. Ma femme était catholique, mais
très fervente, oui, ça existe. Chaque matin, avant mon
travail, je devais la déposer à la cathédrale pour qu'elle
puisse prier pour le salut de mon âme. Rien n'allait
comme elle le voulait. Je buvais de plus en plus, et j'accu-
mulais les maîtresses. Moi-même, je pensais que ça ne
pouvait pas continuer ainsi. Des fois, je me demandais si
je n'étais pas possédé du démon... Et puis un jour, un
homme monte dans le taxi et commence à me parler de
Jéhovah. Je ne sais pas pourquoi, ce qu'il disait s'enfon-
çait droit dans mon cœur comme un couteau dans une
motte de beurre. Moi qui n'écoutais jamais personne.
C'est comme ça que je suis devenu un témoin...

— *Amen*, hurle la femme au panier.

ALTAGRÂCE

L e taxi tourne sur la rue Magloire-Ambroise pour
s'arrêter immédiatement devant un salon de coiffure
pour dames. Une jeune femme arrive en courant à la portière du chauffeur.

— C'est son carnet scolaire.

Le chauffeur chausse calmement ses lunettes pour
regarder les notes scolaires de son fils, j'imagine. Il paraît
satisfait de l'examen. Le salon de coiffure semble vide, à
part cette grosse femme en bigoudis qui étire son cou pour
essayer de voir ce qui se passe dehors. Le chauffeur rend,
finalement, avec un large sourire, le carnet scolaire à la
jeune femme tout en lui glissant une enveloppe.

Le taxi redémarre instantanément.

— J'ai deux garçons avec Altagrâce, dit-il. C'est
une femme du Cap. Quelqu'un de bien. Elle était chez

les sœurs de la Charité quand je l'ai rencontrée. C'est
moi qui l'ai détournée du droit chemin. Vous comprenez
ce que je veux dire. Maintenant, on n'est plus ensemble,
mais je tiens à faire mon devoir. Je m'occupe des enfants.
Là, c'était l'argent de l'écolage. Ça c'est important pour
moi, l'école. Les enfants ne sont pas des animaux. On ne
peut pas se contenter de les mettre au monde, il faut aussi
penser à leur éducation. Et je prends ça très au sérieux.
Si je meurs, qu'est-ce que je peux bien leur laisser ?
Rien. Je suis un pauvre homme qui se débrouille pour
survivre. Heureusement les yeux de Jéhovah ne me quit-
tent jamais.

— *Amen*, approuve la femme au panier.

LA TIGRESSE

Il fait une chaleur épouvantable dans le taxi. Je n'arrive
plus à respirer. J'ai la nette sensation que nous sommes
en train de cuire tranquillement dans une énorme chaudière. Cette odeur de soufre. Quelqu'un n'a qu'à craquer
une allumette pour mettre le feu au taxi.

Ma mère me tend un petit mouchoir brodé qu'elle
vient de sortir de son sac à main.

— Si vous n'êtes pas trop pressés, dit le chauffeur
d'une voix un peu coupable, je vais faire un petit détour…
Ce n'est pas bien loin…

Et sans attendre notre réponse, il tourne à gauche pour
remonter la ruelle Romain. Le taxi s'arrête juste en face de
Radio-Caraïbes. Le chauffeur donne deux coups de klaxon.
Un petit garçon de dix ans environ arrive en courant.

— Donne ça à ta mère, dit le chauffeur en lui tendant
une enveloppe.

Le taxi commence à rouler doucement. Au même moment, une femme d'une quarantaine d'années arrive du fond d'un long corridor. Ça a pris un certain temps pour qu'on voie qu'elle avait les seins à l'air. Une énorme paire de seins.

— Je peux te parler, Josaphat…

Au lieu de s'arrêter comme on le lui demande, il accélère même.

— Arrête-toi, salaud. Je veux te parler.

— Je suis pressé, Mimose.

— Tu es pressé ! Je vais t'écraser les couilles !

On est déjà au carrefour. Le taxi tourne à gauche, sur la rue Capoix.

— Cette femme est une vraie tigresse, finit-il par lancer en guise d'explication. Toujours en train de chercher la bagarre, de m'insulter, de m'attaquer, de me menacer, de vouloir m'aveugler, m'étriper, je vous le dis : c'est une vraie tigresse. Il y a des gens comme ça, paraît-il, et on n'y peut rien. Regardez, elle vient sans soutien-gorge jusque dans la rue, alors qu'elle a un enfant à éduquer, mon fils. Je l'ai rencontrée à Croix-des-Bouquets, un joli coin. Ah ! Seigneur, qu'elle était belle ! mais elle n'avait aucune éducation. Elle était encore comme à l'état sauvage… Il y a un mois, elle a lacéré avec un rasoir tous les coussins de la voiture. J'ai été obligé de payer pour tout refaire. Alors, j'ai sauté un mois. Pas d'argent. C'est pour ça qu'elle est furieuse. Je ne sais pas comment elle a appris que je donne à Altagrâce le double de ce que je lui donne comme argent, mais c'est normal, j'ai un enfant avec elle, et deux avec Altagrâce. Et puis, ce n'est pas le même genre de personne, non plus…

L'AMOUR

L e taxi s'arrête. La jeune femme, assise en avant à côté
du chauffeur, descend après avoir réglé la course.

— Lisa !

Elle se retourne.

— Toi ! Qu'est-ce que tu fais ici ?

Je descends promptement du taxi pour la prendre
dans mes bras. « Ah ! Lisa. Comme tu m'as fait souffrir ! »
Elle passait, chaque jour, devant ma porte pour aller à
l'école. « Combien de fois, j'ai rêvé de toi ! » Un baiser de
Lisa, c'est tout ce que j'ai voulu pendant cinq ans.

— Je viens d'arriver.

— Attends, dit-elle, mais ça fait vingt ans qu'on ne
s'est pas vus, n'est-ce pas ?

— Exactement.

— Toi, je ne peux pas dire que je ne t'ai pas vu. De
temps en temps, je te vois à la télé. Ma mère dit toujours
que tu es resté le même. Toujours de bonne humeur…
Écoute, moi, ça a été différent, j'ai fait un mariage qui n'a
pas marché, j'ai un fils, je suis divorcée, et je travaille au
musée d'art. Tu devrais passer voir notre exposition, on a
de belles choses.

— Là, tu viens voir ta mère… Elle habite toujours au
même endroit ?

Elle sourit.

— Tu te rappelles… Je vis avec ma mère, depuis mon
divorce.

Un coup de klaxon.

— Je ne suis pas pressé, dit le chauffeur d'un ton sarcastique.

J'embrasse Lisa.

— Je passerai sûrement au musée…

— On ferme à cinq heures, dit-elle. Je suis contente de te revoir.

Je la regarde franchir la barrière. Un peu nerveuse, elle n'arrive pas à bien replacer le crochet de la barrière. Oh ! sa nuque…

LA RÉVÉLATION

Je reprends ma place à côté de ma mère. Un homme est déjà assis en avant, sur le siège de Lisa.

— Il va près du cimetière, me souffle ma mère, c'est sur notre chemin.

— La jeune femme, me demande le chauffeur, vous la connaissez bien ?

— Oui, mais ça fait vingt ans qu'on ne s'est pas vus.

— Je ne devrais pas me mêler de ce qui ne me regarde pas… Est-ce que je peux vous dire quelque chose ?

— Oui, je réponds avec une certaine inquiétude.

— Cette femme est amoureuse de vous.

— C'est ce que j'ai remarqué aussi, ajoute la femme au panier.

— Ah bon !… Comment ça ? Je ne l'ai pas remarqué, dis-je en balbutiant comme un enfant pris en faute.

— C'est la vérité, dit le chauffeur, et je m'y connais dans ces affaires. Faites-moi confiance, elle vous aime.

— Je ne comprends pas comment vous pouvez dire une pareille chose.

— Je le sais, dit le chauffeur. Elle vous a regardé avec les yeux les plus doux que j'ai jamais vus…

J'éclate d'un rire plutôt artificiel.

— Ah ! dis-je, on voit que vous ne connaissez pas Lisa… C'est sa façon.

— Je ne suis pas sûr, dit le chauffeur d'un ton péremptoire, qu'elle regarde tout le monde de la même manière. Cette femme, mon frère, vous a toujours aimé. Ouvrez donc les yeux.

— *Amen!* Les hommes sont aveugles, conclut la femme au panier sur les jambes sur un ton plus ferme.

— Pas tous quand même, remarque d'une voix très douce l'homme assis près du chauffeur.

— Je ne parlais pas de vous, reprend tout de suite la femme au panier en minaudant un peu.

Le taxi s'arrête devant la clinique du portail Léogâne.

— Vous n'êtes pas le docteur Samedi? demande ma mère sur un ton un brin déférent.

— Oui, dit celui-ci d'une voix plus grave que tout à l'heure. Vous me connaissez?

— Personnellement non, mais j'ai entendu parler de vous.

— En bien, j'espère.

— Bien sûr, dit ma mère avec un petit rire de gorge que je ne lui connaissais pas. C'est une amie commune : Georgette Per…

— Ah! Georgette… C'est une bonne amie. Salue-la de ma part. Et merci, lance le docteur d'une voix plus enjouée au chauffeur qui vient de lui rendre la monnaie… Au revoir, madame.

— Au revoir, docteur, dit ma mère un peu fièrement.

LE CHOIX

Ma mère redevient silencieuse. Je viens tout à coup de me rappeler que ma mère a toujours rêvé que je devienne médecin. Pas uniquement parce que c'est un métier de prestige, mais surtout parce qu'à soigner les malades on ne met pas sa vie en danger. Pourtant, elle n'est jamais intervenue dans mon choix de vie, même quand la direction que j'avais prise semblait la plus dangereuse qui soit. À dix-neuf ans, je devenais journaliste en pleine dictature des Duvalier. Mon père, lui aussi journaliste, s'était fait expulser du pays par François Duvalier. Son fils Jean-Claude me poussera à l'exil. Père et fils, présidents. Père et fils, exilés. Même destin. Ma mère, elle, ne quittera jamais son pays. Et si jamais elle le quitte, j'aurai l'impression qu'il n'y a plus de pays. J'identifie totalement ma mère avec le pays. Et elle est assise à côté de moi dans ce taxi qui file maintenant vers Martissant. Le torse bombé sous la douleur : ma mère, mon pays.

LES PORTES DE L'ENFER

U n tap-tap fonce sur nous et nous évite à la dernière seconde.

— Ce sont des bêtes, ces gens-là, dit le chauffeur. On se demande où est-ce qu'ils ont eu leur permis ? Je le sais, ils l'ont acheté. Quand je viens ici, j'ai l'impression de faire un tour en enfer.

— Tout le monde n'a pas les moyens d'habiter en ville, dit la femme au panier avec une sorte d'exaspération dans la voix. J'ai toujours habité au Champ-de-Mars, à côté du cinéma Paramount, jusqu'à la mort de mon mari. Au lieu de prendre notre cas en considération, le propriétaire a augmenté le loyer, et j'ai dû déménager pour aller vivre à Martissant. Bien sûr que ça ne fait pas mon affaire. D'abord, il n'y a pas une si grande différence de loyer, alors que c'est si sale et si bruyant. Je vous le dis : je paie à peu près la même chose qu'avant… Ensuite, mes enfants allaient à l'école tout près, au collège Saint-Martial…

— Vous ne les avez pas retirés de là, j'espère ! hurle presque ma mère. C'est une excellente école.

— Je sais, madame, mais je ne vais pas pouvoir payer pendant longtemps un abonnement de taxi pour eux…

— Ce serait un crime, continue ma mère, si vous les enleviez de cette école. Je sais que je me mêle de ce qui ne me regarde pas, mais…

— Je sais, madame, mais c'est trop dur pour moi. Je suis au bout du rouleau. Je ne peux pas faire un sacrifice de plus. Je n'ai plus de sang à donner. Si on m'avait dit que la vie serait si dure, je serais restée là où j'étais auparavant, je n'aurais jamais quitté Bainet pour venir à Port-au-Prince. Faire tant de sacrifices pour me retrouver là, aujourd'hui, à végéter à Martissant…

— Il faut faire confiance à Jéhovah, dit le chauffeur de taxi, c'est lui seul qui connaît la mesure de notre souffrance, et qui pourra l'apaiser.

— Oh ! des fois, dit la femme au panier avec un long soupir, je me demande s'il n'est pas du côté des riches.

— Non, madame, ne dites pas ça, lance le chauffeur presque avec rage… Que chacun vive selon sa conscience, mais la colère de Jéhovah sera terrible.

— Je ne dis pas non, mais regardez les châteaux que les riches se font construire sur la montagne, alors que nous nous enfonçons de plus en plus dans cette boue noire et puante. Je dois respirer ça tous les jours. S'il n'y avait pas les enfants, il y a longtemps que j'aurais mis fin à mes jours. D'ailleurs, je n'ai pas peur de mourir, madame, dit-elle, s'adressant à ma mère… Les morts sont plus heureux que nous.

— Mais vous n'en savez rien, dit ma mère.

— Si ! Ce qui me le fait penser, c'est qu'aucun n'est revenu.

Un silence de mort.

La femme paie la course et descend du taxi pour se perdre dans la marée humaine de Martissant. Je suis sûr que je ne la verrai plus jamais. Comment fera-t-elle face à la tempête de la vie ? Je l'ignore.

LA NOYADE

— Cette femme n'a encore rien vu, dit le chauffeur d'un air grave. Ici, ce n'est que la porte de l'enfer.

— Qu'est-ce que voulez dire par là ? je demande.

— Je veux dire, scande le chauffeur en frappant le volant de ses paumes, qu'il y a des endroits où l'on pense qu'il faut être riche pour habiter à Martissant.

Je sens ma mère frémir à côté de moi. C'est la peur de sa vie. La chute sociale. Cette descente sans fin. Il faut résister, bien sûr, mais à un moment donné on se retrouve sous les eaux et, là, il n'y a plus rien à faire. La noyade !

— Je vais essayer d'éviter le morne Nelhio, dit le chauffeur, en prenant Carrefour-Feuilles.

— Oui, dit ma mère d'une voix presque éteinte, faites ça.

Et elle ferme les yeux en appuyant sa tête légèrement sur mon épaule. Je regarde un long moment ce visage fatigué. Une vieille fatigue.

Pays rêvé

*Ça manman ti chatte té di'l la, manman ti rate té
di'l li anvant.*

(Ce que la mère du chaton lui a appris, la mère du
raton le lui avait appris longtemps avant.)

Je suis allé voir, sans rendez-vous, le professeur J.-B. Romain, de la faculté d'ethnologie de l'université d'État d'Haïti. Il n'était pas encore arrivé à son bureau. Une vieille secrétaire m'a indiqué une chaise qui avait l'air d'avoir appartenu à l'empereur Faustin Ier. J'ai attendu près d'une heure et demie. Soudain une voix chaude derrière mon dos. Je me retourne : le professeur J.-B. Romain est bien là devant moi. Il me fait entrer tout de suite dans cette minuscule pièce remplie d'objets hétéroclites : masques, statuettes précolombiennes, sculptures africaines.

— J'ai deux ou trois petites choses à vous demander, professeur.

— Allez-y, dit-il en regardant sa montre, je n'ai pas beaucoup de temps à moi. Tout va trop vite pour moi dans ce pays. Je suis un scientifique, je suis habitué à travailler sur des objets très anciens — il jette un coup d'œil autour de lui — et voilà que maintenant, on me demande mon avis sur des histoires qui se déroulent sous nos yeux. Il me faut du temps. Dans mon analyse d'Haïti, je suis encore en Afrique, vous comprenez. Il faut aller à la racine des choses. Les peuples ont une histoire, il faut commencer par le début, mais ces gens veulent que je réagisse comme un journaliste, à chaud sur l'événement. C'est impossible ! Ils refusent de comprendre.

— Qui refuse de comprendre ?

— Je ne sais pas... Tous ceux qui sont là-bas... (Il fait un geste de la main en direction du palais national.) C'est le major Sylva qui me contacte en leur nom : le président, des membres influents de l'état-major, et même les Américains. Les Américains croient pouvoir tout acheter avec leurs dollars. Mais l'argent ne peut pas tout résoudre. Ils ne connaissent que cette solution, eux. Comment discuter avec des hommes qu'on ne voit même pas ! Bon, qu'est-ce que vous vouliez me dire ?

— Je crois que ça peut attendre, professeur, vous avez l'air d'avoir beaucoup de soucis.

— Excusez-moi de vous parler de ces choses-là, mais des fois il suffit d'une goutte pour faire déborder le vase. Pourquoi ces Américains refusent-ils d'admettre que ce pays possède quelques dons particuliers, et qu'ils ne sont pas à vendre ? Nos rêves, nos passions, notre histoire, tout ceci n'est pas à vendre. C'est uniquement pour défendre cet héritage que je reste ici et que je mourrai ici. Ils devront passer sur mon cadavre pour... Bon, je m'arrête, dites toujours ce que vous voulez, maintenant que la crise est passée.

— Je vais aller droit au but, professeur... Pensez-vous qu'il est possible de mourir et de revenir par la suite sur Terre ?

Un bref moment.

— C'est la chose la plus banale, mon jeune ami. Je suis en train de corriger la thèse qu'un de mes étudiants a rédigée sur les zombis.

— Je ne parle pas de zombis, je ne parle pas non plus de gens qu'on a tués et qu'on a fait revenir ensuite parmi les vivants pour les obliger à travailler.

Le professeur J.-B. Romain lève la main droite pour m'interrompre.

— D'abord, on ne les pas tués. C'est ça l'astuce. On fait croire à la famille que la personne est morte, mais en réalité...

— Professeur, c'est ce que je voulais dire.

Le visage du professeur devient subitement grave.

— De quoi parlez-vous alors ?

— Je parle de quelqu'un qui aurait accepté de mourir pour aller voir ce qui se passe là-bas puis revenir après parmi les vivants.

Le professeur J.-B. Romain se gratte la tête pensivement.

— Humm... C'est plus compliqué. C'est un vieux rêve que caressent tous les ethnologues de ce pays, mais autant que je le sache, personne ne l'a encore réalisé.

— Et si quelqu'un venait vous l'offrir, comme ça ?...

— Offrir quoi ?

On dirait que je viens de le réveiller d'un profond sommeil.

— Vous offrir à vous, professeur, d'être le premier ethnologue à aller là-bas.

— Évidemment que je serais tenté, dit-il avec un rire de gorge.

— Comment dites-vous ça, professeur ? Je croyais que vous alliez être fou de joie.

Le professeur fait un geste de la main comme pour écarter une mouche de son visage.

— Personne ne peut vous faire une telle proposition sans qu'il n'y ait aucun risque.

— Oui mais, professeur, le savoir absolu... la possibilité de tout comprendre, de tout voir, de tout sentir d'un coup... Là, vous émettez des hypothèses, vos réflexions sur la mort ne sont pas définitives. On peut contester vos explications des symboles de la mort dans le vaudou. Mais ce serait différent à votre retour. Vous pourriez dire de manière catégorique : « La mort ne sent pas la fleur d'oranger, mais plutôt les aisselles, point final. Plus de débat. »

— C'est très intéressant tout ça, mais si je ne devais pas revenir… Qui me dit combien à qui on a déjà fait cette proposition ne sont pas revenus.

Il se lève déjà.

— Je vais vous poser une dernière question, professeur.

— Faites vite, je suis déjà en retard pour mon cours, dit-il en se dirigeant vers la porte.

— Honnêtement, pensez-vous que c'est possible ?

Il revient un moment sur ses pas.

— Quoi ? Aller là-bas et revenir ? Et surtout, dit-il avec un sourire en coin, qu'on vous laisse écrire là-dessus ? Une sorte de reportage sur le « vieux pays ». Si on me faisait une telle proposition, je me demanderais bien pourquoi. Qu'est-ce qu'on veut de moi ? Ce ne serait sûrement pas pour les beaux yeux de ce vieux singe de J.-B. Romain.

— Je veux juste savoir, professeur, excusez-moi d'insister, s'il est possible d'y aller et de revenir sain et sauf, sans que l'esprit ne soit aucunement atteint ?

Un moment de silence intense. Le professeur regarde sa montre. Et se rassoit.

— Écoutez, vous savez qu'il y a à peine un siècle les hommes, je veux dire les Blancs, n'allaient pas encore dans l'espace. Je parle du simple avion. Selon la loi de la pesanteur : tout ce qui est plus lourd que l'air doit retomber en direction du centre de la Terre, c'est à peu près ça si je me souviens de mes anciennes études… Bon, alors les Occidentaux ont depuis fait d'immenses progrès, ce qui fait qu'aujourd'hui l'homme peut marcher sur la Lune…

Je ne pense pas que ce soit le moment de lui parler de la théorie de M. Pierre qui affirme que ça fait longtemps que les Haïtiens se baladent sur la Lune.

— Eux, les Occidentaux, ils ont choisi la science diurne, continue le professeur, qu'ils appellent la science tout court. Nous, on a pris plutôt la science de la nuit, que les Occidentaux appellent dédaigneusement la superstition. Je dois dire que s'ils ont fait d'indéniables progrès dans leur zone, nous n'avons pas chômé non plus. Il y a cent ans, on ne pouvait pas imaginer un homme sur la Lune (sauf notre ami Verne), aujourd'hui c'est fait : un homme y est allé, a marché dessus et est revenu sur la Terre. Neil Armstrong a aussi écrit un livre relatant cette expérience… Bien sûr, le pays de la mort est plus loin. Un peu plus loin, un peu plus près, l'important c'est qu'il est invisible. Ils ont fait des progrès, on a fait aussi des progrès, mais nous on n'en parle pas.

— Peut-être que les dieux du vaudou veulent qu'on en parle maintenant. Peut-être qu'ils veulent tout simplement une reconnaissance internationale… Car professeur, que vaut sainte Cécile face à Erzulie Dantor, dite Erzulie aux yeux rouges ? Que vaut un sympathique saint Christophe face au terrible Ogou Badagri, le maître du feu, ou l'innocent saint François d'Assise face à Baron Samedi, le concierge des morts ? Ces gens-là veulent peut-être que le monde entier reconnaisse leur puissance, et ils m'ont choisi pour ce travail de propagande. Une seule question reste : pourquoi moi ?

— Hein ! (Le professeur réfléchissait encore.) Pourquoi vous ? Ah ! ça n'a aucune importance, mon jeune ami. Ils disent tous ça : « Pourquoi moi ? » La Vierge l'a dit. David l'a dit, juste avant son combat avec Goliath qui devait le propulser sur la scène de la chrétienté. Saul l'a dit quand on l'a appelé. Même Abraham l'a dit. « Pourquoi moi ? » Du point de vue mystique, cette question n'a jamais reçu de réponse. « Pourquoi moi ? » Pourquoi pas !

Bon, là, il faut que je file, mais nous reprendrons cette intéressante discussion une autre fois.

— Mais professeur, ce n'est pas une simple discussion, et ce ne sont pas des hypothèses… Quelqu'un est venu me voir vraiment.

Le professeur J.-B. Romain était déjà parti à son cours.

Pays réel

Lang ac dent cé bon zanmi, yo rété nan minm caille, gnoune pas rinmin lote.

(La langue et la dent sont deux bonnes amies qui habitent dans la même maison, tout en se détestant.)

L'AMI RETROUVÉ

— Qu'est-ce que tu fais ici ? je demande, le souffle coupé.

Il se contente de sourire.

— Quelqu'un m'a dit qu'il t'a vu à l'aéroport.

On s'embrasse.

— Laisse-moi te regarder un peu, dit Philippe.

On se regarde.

— C'est fou, commente Philippe, quand tu es parti, on avait vingt-trois ans tous les trois. Toi, moi et Manu. Je ne te reproche pas de ne pas avoir dit, même à nous tes meilleurs amis, que tu partais.

— Écoute, Philippe...

— Pas la peine. Ta mère m'a expliqué, quelque temps après ton départ, qu'elle t'avait demandé de n'en parler à personne.

— Quelle nuit ! Je me souviens bien : j'étais avec vous et je ne pouvais rien vous dire... Antoinette était là aussi... Je ne pouvais rien dire...

— Ta mère avait raison. Tu sais qu'ils t'ont cherché partout pendant au moins un mois.

— Vingt ans, hein !

— C'est ça, dit-il, vingt ans.

Et on s'embrasse de nouveau.

LE MÉDICAMENT

Tante Renée arrive avec un grand pot de jus de grenadine et deux verres. Ma mère a déjà filé dans la cuisine. Elle va sûrement nous préparer quelque chose. Un plat vite fait. Elle sait que Philippe ne reste jamais longtemps au même endroit. Ma mère et tante Renée aiment beaucoup Philippe parce qu'il est poli et toujours de bonne humeur. Surtout qu'il ne les a pas laissées tomber après mon départ.

— Le médicament que tu m'as donné le mois dernier, Philippe, m'a fait beaucoup de bien, dit tante Renée en montrant la petite bouteille vide qu'elle vient de sortir de sa poche.

— J'en ai d'autres dans la voiture… Je vais vous en chercher, dit Philippe en se levant du même coup.

— Phil, ça peut attendre, dit tante Renée… Bois ton jus tranquillement, tu me le donneras avant de partir.

Philippe était déjà à la barrière.

LE TRIO INFERNAL

Ma mère et tante Renée ont autant de confiance en Philippe qu'elles ont peur de Manu. Tante Renée dit qu'elle ne lui confierait même pas son pire ennemi. Manu leur fait vraiment peur. Trop imprévisible. Et ce charme vénéneux. Il plaît aux filles, et ça ça déplaît à tante Renée. J'ai connu Philippe d'abord. C'était il y a trente ans. Quel chiffre ! On était comme deux frères. On partageait tout. Même les filles. Jusqu'à ce qu'arrive un troisième larron : Manu. Faut dire qu'à cette époque les filles ne nous intéressaient pas vraiment. On voulait plutôt la vie. Sous

toutes ses formes. Changer les choses. Je me souviens
qu'on marchait sans arrêt dans la ville. On voulait tout
connaître, tout comprendre, tout sentir. Un furieux désir
de vivre. Plus vite ! Toujours plus vite !

ANTOINETTE

C'est par Philippe qu'elle est arrivée. Il voulait absolument nous la présenter. À chaque rendez-vous, elle ne
venait pas. On commençait à rigoler, Manu et moi, à propos de la fille rêvée. Un jour, elle arriva, et nous charma
tous. Chacun à notre manière. Le cas de Philippe était déjà
réglé. Moi, je tombai amoureux d'elle dès que je l'ai vue,
mais ça, je ne l'aurais jamais avoué, même pas sous la torture. Quant à Manu, il a toujours fait semblant de l'ignorer. Nous étions avec Antoinette, comme trois jeunes
scouts autour d'un feu de camp : fascinés.

BICARBONATE DE SODIUM

Philippe n'a pas trouvé le médicament, mais il a
apporté autre chose.

— Mais c'est du bicarbonate de sodium, hurle
presque tante Renée après en avoir goûté avec la pointe de
sa langue.

Elle ouvre grand les yeux.

— Ce garçon est un véritable sorcier. Comment
savais-tu que j'en avais besoin ? Marie oublie toujours
d'en prendre quand elle va à la pharmacie Séjourné.
Depuis que son fils a appelé pour dire qu'il venait, Marie
n'a plus sa tête. Tu lui dis une chose, elle te répond mais

oublie sur-le-champ ce que tu viens de lui dire, et même ce qu'elle t'a répondu...

— Mon dos est large, dit ma mère en arrivant sur la galerie. Je suis le seul sujet de conversation de Renée.

— Nous sommes seulement deux ici, Marie, et il faut bien rire quelquefois, dit tante Renée dans un vaste éclat de rire.

— C'est prêt, dit ma mère... Venez manger, sinon ça va refroidir.

Je me souviens, il y a vingt ans, ma mère employait la même expression (« Venez manger, sinon ça va refroidir ») pour nous inviter, Philippe et moi, à passer à table. Faut prêter l'oreille quand elle parle. Son jeu est très discret.

— Allez-y, dit tante Renée, moi je mangerai plus tard.

LE REPAS

Comme toujours, ma mère a fait un repas simple, léger et succulent : riz blanc, poulet au mirliton et bananes frites. Salade : avocat et tomate. Pour le dessert, ce sera du pain de patates.

Elle s'assoit en face de nous.

— Prends encore un peu de poulet, Philippe, dit ma mère.

Elle ajoute du riz dans mon assiette quand elle juge qu'il n'y en a pas assez.

— Merci, dit Philippe... J'aime beaucoup ce repas.

Ma mère sourit. Sommes-nous en 1976 ou en 1996 ?

UN ART

— Je dois vous faire un aveu, dit Philippe à ma mère…
Sachant que j'allais passer ici, je n'ai pas pris de
petit déjeuner.

— Merci, Philippe.

— Toujours aussi flatteur, dit tante Renée qui a des
goûts alimentaires nettement à l'opposé de ceux de ma
mère.

— Je ne comprends pas, dit Philippe, c'est un véritable mystère pour moi. J'ai beau leur expliquer à la maison,
ce que j'aime et comment le préparer, ce n'est jamais
comme ici.

— Il n'y a pas de secret, pourtant, dit calmement ma
mère.

— C'est comme écrire, dis-je, il n'y a pas de secret
non plus. Vous l'avez ou vous ne l'avez pas, c'est tout.

— Entre la cuisine et la littérature, lance un Philippe
hilare, je préfère de loin la cuisine.

— Bon, on file, dis-je.

— J'ai oublié de te dire, Vieux Os, qu'un certain docteur Legrand Bijou a téléphoné. Il aimerait que tu passes
le voir.

— Merci, tante Renée. J'espère qu'il n'a pas essayé
de te faire la cour. C'est un dangereux séducteur. Il serait
capable de te faire perdre la tête, même au téléphone.

— Non, dit gravement tante Renée, il a été correct.

— C'est à ce moment qu'il faut faire attention. C'est
un homme couvert de femmes, et les femmes aiment sentir sur les hommes l'odeur de la femme. Es-tu sûr qu'il ne
t'a fait aucun effet ?

— Non. Je l'ai trouvé poli, sauf que…

— Ah ! ah !

Tante Renée vient de comprendre que je plaisantais.

— Ah ! petit chenapant, laisse-moi t'attraper. Il m'a semblé qu'avec un nom pareil, Legrand Bijou, on ne peut pas aller loin dans la vie.

— Comment ça ! dit ma mère. Au contraire. Legrand Bijou, son nom me fait rêver.

— Une de plus ! hurlé-je.

Elles se mettent à rire sans pouvoir s'arrêter.

LES BOURGEOIS

Une jeep rouge.

— Une voiture neuve, Philippe ?

— J'ai donné mon ancienne voiture et celle de ma femme, qui était pratiquement neuve, pour l'avoir. Il me reste dix mille à payer. Tu sais une chose, il y a tellement de crevasses dans cette ville que, je te le jure, ça prend une jeep.

— Ça prend plutôt de bonnes routes. Pourquoi rouge, Philippe ? Tu veux attirer l'attention sur toi ?

— Hé ! arrête, je ne vais pas justifier chacun de mes gestes. Toi, je ne sais même pas comment tu vis là-bas.

— T'as raison !

Je commence à chanter :

— « Les bourgeois, c'est comme les cochons… »

Philippe me rejoint :

— « Plus ça devient vieux plus ça devient bêtes. »

Et on reprend le refrain en chœur. La puissante jeep ignore les nids de poule. Le regard plein d'amertume des piétons.

— Tu crois, dit Philippe après un moment, qu'il y en a, aujourd'hui, qui connaissent cette chanson ? Le mépris des riches n'est plus à la mode. Les gens veulent tout simplement avoir une bonne jeep eux aussi.

— C'est ce que tu crois, Philippe, parce que tu regardes la réalité du haut de ta jeep.

— C'est la réalité… Et tous ceux qui pensaient le contraire sont actuellement en train de se faire manger par les vers.

— Je ne sais pas, Philippe… Je ne sais vraiment pas…

— J'espère que tu n'es pas ici pour changer les choses.

— Non, Philippe… Je ne suis qu'un voyeur.

— Ah ! tu viens faire un livre. C'est mieux ça. Moins dangereux. Je dis ça parce que je ne veux pas te perdre. C'est ce qui arrive à tous ceux qui reviennent après vingt ans pour changer les choses, comme si les choses devaient changer seulement quand ils y pensent. On dirait qu'ils regardent leur montre et se disent : « Tiens, il est temps de rentrer pour changer les choses. » Les choses, c'est nous. Ceux qui sont restés. Ceux qui n'ont pas quitté ce pays quand ça allait mal…

Philippe conduit la puissante jeep comme si la rue était vide. Les gens circulent au milieu de la chaussée comme si la voiture n'avait pas encore été inventée. Il y a un problème là.

— T'as pas peur de frapper quelqu'un en conduisant comme ça ?

— Ce n'est que comme ça qu'il est possible de conduire, Vieux…

— Qu'est-ce que tu racontes là ?

— C'est chronométré à la seconde. Les gens savent exactement à quelle vitesse vous venez, si vous ralentissez. C'est à ce moment que ça peut créer de la confusion.

— Je trouve que tu te justifies curieusement.

— La preuve, c'est qu'il y a très peu d'accidents. Les rares accidents sont causés par des gens comme toi...

— Comme quoi ?

— Des gens qui reviennent de l'étranger. Ils ont perdu le rythme. C'est comme une danse, tu sais. Le moindre faux pas est mortel. Trop vite, c'est pas bon. Trop lentement, non plus. Tu comprends ?

— Non.

L'affaire, c'est que je ne veux pas comprendre. Pas si vite. Je ne veux pas tout de suite accepter cet ordre des choses.

— Oh ! je vois, dit Philippe d'un air entendu... Il va te falloir réapprendre à danser la *méringue*. D'abord, je n'ai pas dit que j'approuve ce qui se passe dans ce pays, je sens tout simplement une sorte d'accord, toujours la danse, et tu comprends, on ne peut pas changer les pas sans changer la musique. Par exemple, si tu conduisais cette jeep, eh bien ! les gens ne te laisseraient pas passer. Tu aurais l'air trop hésitant. Dis-toi bien qu'ici c'est une jungle. Les pauvres sont agressifs. Les riches sont agressifs. Le soleil tape trop fort. Et la vie est dure.

— Hé ! tu ne vas quand même pas dire que la vie est dure pour tout le monde !

— Écoute, lance-t-il, c'est Manu qui s'occupe de cet aspect de la réalité.

Éclats de rire dans la jeep.

LA DIVISION DU TRAVAIL

C'est vrai qu'on a, chacun, notre spécialité. Manu, c'est la politique pure et dure. Philippe, la vie dans sa

candeur. Moi, la littérature. Antoinette ? Antoinette, c'est
notre centre. Elle s'intéresse à la politique, à la littérature
et à la vie.

CAFÉ MADAME MICHEL

— Je vais te montrer quelque chose, dit Philippe avec ce petit sourire que je lui connais bien.

La jeep tourne brusquement à gauche, au coin de l'épicerie Delpé.

— Qu'est-ce que c'est ?

Philippe se contente de sourire.

— Oh ! je vois, dis-je en apercevant le vieux temple des témoins de Jéhovah.

La jeep s'arrête devant le *Café madame Michel*. Le restaurant des aveugles. Ce qui veut dire qu'il vaut mieux ne pas regarder ce qu'on mange. Ce qui est absolument faux. La cuisine de madame Michel est excellente (le fameux bouillon aux légumes du jeudi soir). C'est Manu qui nous a amenés ici. Et pendant des années, on pouvait nous trouver à cette table, près de la porte. Chaque soir, de sept à dix heures. La fille de Mme Michel travaille comme serveuse pendant le week-end, et elle était folle de Manu. Ce qui fait qu'on mangeait à l'œil, les samedi et dimanche.

— Tu ne veux pas y jeter un coup d'œil ? me demande Philippe.

— Je sais très bien ce qui se passe à l'intérieur. Et je n'ai pas envie d'apprendre que Mme Michel est morte ou à la retraite.

— Elle est morte, dit calmement Philippe.

— Comment ça ?

— Elle est morte, l'année dernière. On a entendu, paraît-il, un bruit dans la cuisine. Quelques clients sont allés voir. Et on l'a trouvée la tête dans la grosse chaudière d'huile chaude. Un arrêt cardiaque massif. Elle est morte sur-le-champ.

Je la revois devant moi : grande, maigre, les mains osseuses. Le sourire rare. Toujours au travail.

— Il y a une chose qui m'a toujours intrigué.

— Quoi ? me demande Philippe.

— Est-ce qu'il y a eu un M. Michel ?

Éclats de rire de Philippe. Je me jette contre la portière pour éviter les fameuses tapes sur ma cuisse ou dans mon dos.

— Moi aussi, ça m'a toujours intrigué, finit-il par dire en riant encore. J'ai été aux funérailles, et on m'a montré M. Michel. La plupart des clients le voyaient pour la première fois. On peut dire que c'était lui et non Mme Michel le centre d'attraction, ce jour-là.

— Donc, il y avait un M. Michel.

UN SOUVENIR

La jeep roule en évitant adroitement les crevasses. Philippe conduit d'une main sûre. Une façon de me dire que c'est sa ville. Je regarde par la portière de droite. Les arbres, les gens, les maisons défilent devant mes yeux. J'attrape au vol un souvenir.

— Je ne peux pas dire combien de fois j'ai pissé contre ce mur.

La jeep continue son chemin, indifférente à mes émotions. Comme le temps, d'ailleurs.

LES RUES

Philippe se tourne vers moi.

— Dis-moi ce qui t'a le plus frappé depuis ton arrivée.

— Pour ça, il faudra attendre au moins une semaine, dis-je pour éviter ce genre de conversation.

— Non, insiste Philippe, après une semaine, tout changera. Tu ne seras plus le même homme. Tu te feras une idée. Je veux quelque chose à vif.

— Oh ! il y a tellement de choses…

— Par exemple ?

— Les rues, j'avais oublié qu'elles étaient si étroites.

— Seulement ça ? dit Philippe.

— Les gens aussi. Je n'avais pas gardé en mémoire toute cette maigreur, mais ce n'est pas ça qui m'étonne le plus.

— C'est quoi ?

— Je ne sais pas comment le dire… Moi…

— Toi !

— Je ne savais pas que ça me manquait à ce point.

— Et qu'est-ce qui te manquait comme ça ?

— Je ne sais pas. Tout ça. Cette poussière, ces gens, la foule, le créole, les odeurs de friture, les mangues dans les arbres, les femmes, le ciel bleu infini, les cris interminables, le soleil impitoyable…

— Seigneur ! dit Philippe en freinant brusquement, il était temps alors…

— Il était temps, dis-je tout bas. Vingt ans, c'est beaucoup…

— Beaucoup trop…

— Pas du tout. J'étais même heureux, mais comme à côté de la vie. De ma vie.

Un long silence dans la jeep. Finalement, on repart.

LE PRIX DU TEMPS

— **P**eux-tu faire un arrêt au musée d'art ?
    — Le vrai touriste, lance joyeusement Philippe.
    — Non, j'ai quelqu'un à voir là-bas.
    — Je blaguais. De toute façon, tu as toujours aimé la peinture.
    Philippe va se garer, à l'ombre, sous un arbre.
    — Je t'attends ici.
    — Je ne vais pas rester longtemps, dis-je en ouvrant la portière de la jeep.
    — Prends ton temps, Vieux… Ici, le temps ne coûte rien.

MES PEINTURES

Je venais souvent ici, autrefois. Je passais des heures devant les peintures. Il y a deux toiles que j'aimais beaucoup. *Le Bourgeois chez lui* de Mucius Stéphane qui représente, je crois, un homme assis sur une dodine avec un chat sur lui ou à ses pieds, j'ai oublié. L'autre toile est un portrait inachevé de la Grande Brigitte par Hector Hyppolite. Tout cela est bien brouillé dans ma mémoire, aujourd'hui. Il y a aussi le triptyque de Wilson Bigaut (*Paradis*, *Purgatoire*, *Enfer*), une jungle de Salnave Philippe-Auguste, et un magnifique Louverture Poisson (*Haïti chérie*, je crois) qui représente une femme très sensuelle assise sur une chaise basse en train de se coiffer devant un grand miroir. Ce sont des images inscrites dans ma chair qui m'ont accompagné durant ce long voyage dans le Nord.

LISA

Je la regarde en train de faire visiter le musée à deux touristes. Elle me fait signe vivement de l'attendre. Je regarde un moment les cartes postales. Finalement, elle arrive vers moi.

— Je ne t'attendais pas de sitôt…

— Je passais devant le musée. Autrefois, j'y venais souvent…

— On me l'a dit… Tu connaissais Pierre Monosiet, l'ancien conservateur ?

— Oui, c'est lui qui m'a introduit à la peinture… Il est de Petit-Goâve aussi.

On marche un moment dans la grande salle d'exposition.

— J'aime beaucoup ce travail, dit-elle. Ce n'est pas très bien payé, mais je préfère gagner moins à faire quelque chose qui me plaît.

On s'arrête devant une toile de Philomé Obin, le vieux peintre de Cap-Haïtien.

— Philomé Obin, dis-je, je n'ai jamais compris pourquoi on le place si haut, à côté de Hector Hyppolite ou de Robert Saint-Brice. Ça fait tellement illustration, son truc.

— T'as raison, me dit-elle tout de go.

Je jette un regard vers la voiture. Philippe est en train de lire un journal.

RÉTROSPECTION

Brusquement, elle se tourne vers moi.
Tu as quelque chose à me dire, toi ?

— Non, dis-je sur un ton faussement désinvolte.

— Je t'écoute…

— Bon, je vais te le dire…

Un temps.

— Je ne te savais pas timide.

Elle touche légèrement son front.

— T'as quelque chose ?

— Non, ce n'est rien. Mon éternelle migraine. Dis plutôt ce que tu as à dire. Tu me mets sur des charbons ardents, ajoute-t-elle avec ce joli petit rire de fée clochette.

— D'accord, je plonge… As-tu déjà été amoureuse de moi ?

Son regard se dirige droit vers cet arbre qu'on voit de l'autre côté de la rue.

— Pour te dire la vérité, commence-t-elle…

Mes mains deviennent subitement moites.

— Oui…

Elle éclate de rire. Un rire clair et joyeux avec un léger arrière-fond de tristesse. Quelques personnes se retournent pour nous regarder.

— Tu viens à peine d'arriver, et tu veux me faire perdre ma réputation.

— Tu as raison. Je crois que je t'ai posé une question trop gênante…

— Aucunement… Et je vais te répondre… Oui, j'ai été amoureuse de toi.

Silence.

— Tu ne dis rien… C'est toi qui es gêné maintenant.

La machine à remonter le temps travaille à une vitesse infernale. J'essaie de faire surgir de ma mémoire le moindre indice.

— Je n'arrive pas à croire une chose pareille, finis-je par balbutier.

— Et pourtant, dit-elle avec un sourire un peu triste, c'est la vérité. J'étais folle de toi.

— Toi ! Dis pas ça, Lisa, ça me fait trop mal.

— Oui, et tu ne me regardais jamais.

— Moi ! Je ne te regardais jamais ! dis-je, le souffle coupé.

— Oh ! bien sûr, tu étais gentil avec moi, mais on sait ce que ça veut dire.

Le temps s'est arrêté, un instant, pour moi.

— Oh ! non, pas ça. Tout, mais pas ça. Je ne peux pas croire une chose pareille. Toi, Lisa, tu étais amoureuse de moi ?

Elle acquiesce de la tête. Quelqu'un s'est approché pour un renseignement.

— Je dois travailler… On se reverra ?

— Oui…

— Alors, à bientôt. Tu sais où j'habite ? Chez ma mère. Tu peux passer ici, au musée aussi. C'est comme tu veux.

— À bientôt, Lisa.

Quelqu'un, là-haut, s'est moqué de nous. Mais pourquoi ? Seigneur, pourquoi à seize ans tu ne m'as pas donné Lisa ? J'ai la bouche amère rien que d'y penser. Une telle méchanceté est indigne d'un dieu ! Elle m'aimait. Je l'aimais. En quoi cela nuisait-il ? Si je continue, je vais me mettre à jurer. Je ne comprends pas. Je montre mon poing au ciel.

Je jette un dernier regard à Lisa en sortant du musée. Sa nuque douce.

LE REX

Philippe plie calmement le journal. Aucun reproche pour l'avoir fait attendre. L'art de vivre dans la Caraïbe. On passe devant le Rex-Théâtre. J'allais au cinéma presque chaque soir. Manu connaissait le type à la porte. On n'avait qu'à se présenter quelques minutes après le début du film. On se mettait à la dernière rangée. Après la séance, on allait toujours à ce petit bar, tout à côté, manger un hamburger. Le bar est encore là, et je vois de jeunes étudiantes à l'intérieur. Combien de fois, Manu et moi, on a été presque aux mains à cause d'un film. Je disais que le film était nul. Manu pensait que c'était génial. Ce genre de discussion laissait Philippe froid. Ça ne l'intéressait tout bonnement pas. Il avait vu le film, c'est tout. Puis on est parti, chacun de notre côté faire notre vie, comme on dit, mais le Rex-Théâtre est encore là. Et le petit bar, non plus, n'a pas bougé.

— Arrête, Philippe.

La jeep s'arrête pile.

— Fais marche arrière, maintenant. Tu n'as rien remarqué ?

— Non, dit Philippe, je ne peux pas voir ce que tu vois maintenant, tu sais, je n'ai pas quitté ce pays. Je prends ce chemin au moins deux fois par semaine.

— Arrête-toi, un moment, ici… Ça va, tu peux repartir maintenant.

— C'était quoi ?

— Pas croyable, il est encore là !

— Ah ! dit Philippe, le propriétaire du *snack-bar*.

— Je l'aimais bien. Toujours calme. Il a l'air d'un Hindou. Je ne comprends pas qu'on puisse faire le même boulot pendant tant d'années.

— Je peux comprendre, dit seulement Philippe.

— Je sais que c'est comme ça qu'on devient gros et riche.

— Ce n'est pas une question d'argent, dit sèchement Philippe qui a pris aussi de l'embonpoint, c'est uniquement de cette manière qu'on peut construire quelque chose.

— Possible, dis-je, mais moi, je n'ai pas cette patience.

— C'est aussi pour ça que le pays est dans l'état où il est. Les gens ne veulent pas prendre le temps de bien faire les choses. Et surtout, on n'a aucun sens de la durée ici… C'est ça le problème.

— C'est une question de tempérament, Philippe. Je disais simplement que ce n'est pas dans mon caractère de m'asseoir chaque jour au même endroit pendant cinquante ans. Je ne pourrais pas.

Philippe éclate brusquement de rire.

— Qu'est-ce qui te fait rire ?

— Je pense à Manu. Je l'imagine être obligé de s'asseoir au même endroit pendant cinquante ans.

— Tu veux dire cinq heures ! dis-je en riant aussi.

COLES MARKET

La jeep s'est arrêtée en bordure du trottoir, devant le Coles Market. Je me souviens de cette pub qu'on entendait sans cesse à la radio : « Maîtresses de maison, ménagères, arrêtez-vous au Coles Market, à Lalue. » À l'époque, il n'y avait qu'un seul *market* à Port-au-Prince.

— Je vais prendre quelques trucs pour Elsie… Je ne resterai pas longtemps.

— Je descends avec toi, dis-je, en lui emboîtant le pas. Sais-tu que c'est la première fois que je vais entrer là ?

— Non ! dit Philippe en se retournant vers moi. Tu me fais marcher !

— Et pourtant c'est vrai.

— Et pourquoi donc ?

— J'avais peur…

— Là, tu te moques de moi.

— Non, c'est vrai… J'avais peur de ne pas savoir comment me conduire, quoi dire, comment le dire, tu comprends, j'avais peur de passer pour un paysan.

— Je ne sais pas de quoi tu parles. C'est simplement un *market*.

— C'est ce que tu crois. Toi, tu ne peux pas savoir, tu as toujours fait tes emplettes ici. Tu ne peux pas savoir ce que ça représente pour d'autres.

— Justement, dit Philippe, sans avoir voyagé, tu étais plus évolué que la plupart de mes amis qui passaient leurs vacances aux États-Unis ou en Europe. J'ai toujours admiré ton aisance précisément…

— Souvent, je me donnais une contenance tout simplement… Je connaissais les mots, mais pas les choses.

— Tu vois, moi, dit Philippe en riant, je connaissais les choses, mais pas les mots.

LA POMME

— Arrête-toi un moment, je vais te raconter une histoire et tu vas comprendre ce que je viens de te dire. Ça s'est passé, ici, il y a longtemps, j'avais quinze ou seize ans. Je ne sais plus pourquoi, j'étais venu flâner dans ce quartier. Et j'ai vu sortir du *market* une fille de mon âge. Elle lançait une pomme en l'air de temps en temps. Eh bien ! Philippe, sous le soleil de cet après-midi d'avril, je m'en souviens très bien, j'ai reçu le choc de ma vie.

— Un coup de foudre, dit Philippe.

— Non. Quelque chose de plus troublant.

— Seigneur ! dit Philippe, qu'est-ce qui pourrait être plus troublant qu'un coup de foudre ?

— Je ne sais pas ce que c'est. Elle avait la peau claire, une jolie mulâtresse, et elle tenait cette pomme à la main. Ajouter à cela : la couleur dorée de cet après-midi d'avril.

— Je ne vois toujours pas ce qu'il y a de spécial, dit Philippe.

— Comment te le dire ? Tu te souviens de ces choses qu'on nous disait, dans les cours de chimie, d'éviter de mettre ensemble sous peine d'explosion ?

— Je ne vois pas où tu veux en venir...

— Je ne sais pas, mais ça m'a marqué. Et pendant longtemps, je me suis demandé si cette jeune fille m'apparaissait belle uniquement parce qu'elle avait la peau claire et qu'elle mangeait une pomme ou si...

— Je comprends enfin, dit Philippe... Maintenant que tu as passé tout ce temps à Montréal à voir des femmes blanches et à manger des pommes tous les jours, tu es arrivé à quelle conclusion ?

— Je ne sais pas encore. Toujours la question de la rareté. Port-au-Prince, la très grande majorité est noire, et tu sais que plus un produit est rare, plus sa valeur augmente... Ici, en matière de mulâtresses, la demande est très supérieure à l'offre...

— Donc, tu es au même point qu'avant ton départ ? Les jeunes mulâtresses te fascinent encore ?

— Je ne sais pas, Philippe, je viens à peine d'arriver...

LES AMÉRICAINS

Je remarque d'abord sa nuque puissante, noire, huilée. À peine vingt ans, même pas. Il est en train de palper des oranges. Le corps tranquille. Décontracté. Présent. Partout chez lui. Le voilà qui se retourne, comme au ralenti, me voit et sourit. Je reste figé. Je suis en présence d'un soldat américain en train de faire calmement ses emplettes, non pas à Beyrouth, Berlin ou Panama, mais à Port-au-Prince. En treillis de combat.

— Fais pas cette tête, me dit Philippe, t'en as sûrement vu à l'aéroport.

— Je n'ai aucun problème à voir des soldats américains dans un édifice public, mais là, me semble que ça fait intime…

— Remets-toi, Vieux…

— Le voir là, comme ça, en train de vaquer à ses occupations, disons que je n'étais pas préparé…

— Qu'est-ce que tu veux ? Les Américains sont en Haïti. C'est tout.

— Je ne parle pas politique. Je suis plutôt d'accord, de ce point de vue, avec leur présence… Je dis simplement que ça me fait un choc. C'est physique, si tu veux…

Le soldat passe devant nous avec un large sourire de « frère ».

— Hi ! fait Philippe…

— Au moins cette fois-ci ils ont pensé à envoyer aussi des Noirs.

— Quelle différence ?

— Lors de la première occupation de 1915, le gouvernement américain avait envoyé, pour mater les Nègres d'Haïti, les pires racistes du sud des États-Unis. Enfin, je parle comme un nationaliste pur crin, alors que je vis à Miami.

— Oui, lance Philippe, avec un sourire, cette fois, je commençais à avoir peur. Je me demandais même si tu n'avais pas perdu ton humour…

— Je crois, Philippe, qu'il y a des moments où l'humour ne peut pas servir à grand-chose.

— Dommage, murmure Philippe.

Juste en sortant du Coles Market, on croise deux autres jeunes soldats qui entrent. Un Blanc et un Noir, cette fois-ci.

Pays rêvé

Pati bourrique, tounnin mulète.

(Partir en âne, revenir en mulet. Partir bête, revenir encore plus stupide.)

La petite maison rose cachée par les lauriers se trouve un peu à l'écart des autres maisons de la rue. Une rue ombragée dans le quartier de Turgeau.

— Le docteur est dans la cour, nous dit la vieille servante. Vous pouvez y aller, il vous attend.

Le docteur Legrand Bijou nous sourit du fond de la cour.

— Vous avez le temps de prendre une tasse de café avec moi ?…

— Avec plaisir, docteur, je fais.

— Bon, dit-il en se frottant les mains comme quelqu'un qui vient de faire une bonne affaire… Argentine, tu peux apporter le café. C'est mon seul luxe, le café. Le café d'Argentine, je précise. Bon, je vois que vous êtes accompagné.

— Un vieil ami que j'ai retrouvé aujourd'hui.

— Qui t'a retrouvé, précise Philippe.

— Tu te souviens de notre dernière conversation ?

— Et comment, docteur ! J'y pense constamment.

— Bon (c'est sa manie), je t'avais dit que je tâtais de la poésie. Maintenant que j'ai avec moi un écrivain important, je me suis dit que ce serait bête de ma part de ne pas lui demander son avis à propos de mes efforts.

Je connais cette parole fleurie antillaise cachant généralement la plus redoutable vanité. Ça ne m'étonnerait pas qu'il se croit l'égal de Saint-John Perse. Il me tend un cahier noir. Dès les premiers vers, j'ai su qu'il n'était pas un poète. Alors que faire ? J'ai calmement continué à lire le cahier jusqu'au bout, sans qu'il ne me quitte des yeux. Finalement, je l'ai fermé et le lui ai remis.

— Alors ?

— C'est un bel effort, je fais.

— Seulement ?

— On a le droit d'exprimer, d'une manière ou d'une autre, ses émotions personnelles.

— Vous voulez dire que ça devrait rester personnel. En d'autres termes, vous me conseillez d'occuper mon temps libre à autre chose.

Silence.

Philippe me regarde. Mon attention semble fixée sur ce lézard qui vient de filer sous cette large feuille séchée de bananier. Le docteur caresse un moment son cahier comme s'il s'agissait de la joue d'un enfant. Un léger sourire vaguement triste flotte sur ses lèvres charnues. Je garde un visage impassible.

— Bon… Je suis encore psychiatre et, à propos, j'ai de juteuses histoires pour vous… On m'a appelé ce matin pour examiner un jeune sergent américain. Il avait disparu, il y a une dizaine de jours. On a fini par le retrouver dans une petite maison abandonnée, seul, nu et s'exprimant dans un sabir complètement incompréhensible. En réalité, il employait un mélange de créole, de langues africaines et d'anglais. Remarquez qu'il n'a jamais été en Afrique et qu'il ne connaissait pas un mot de créole. Quand on a enfin compris ce qu'il disait, ce n'étaient que des obscénités. Personne ne pouvait l'approcher. Naturellement, j'ai interrogé ses collègues et ils sont tous formels : un excellent militaire, un homme courtois et responsable, bon père de famille et sportif accompli…

— Et qu'avez-vous fait, docteur ? je demande.

— Pour le moment, je ne peux rien faire. Il faut attendre que la crise passe. Beaucoup de jeunes soldats restent fascinés par le vaudou. Tu sais comment ils sont, les Américains. Ils ont la foi facile et ils aiment le mystère, alors tu comprends qu'ils sont servis, ici. Le colonel m'a raconté qu'il a reçu une lettre de l'épouse d'un soldat rentré aux États-Unis, et cette femme se plaint que son mari la trompe avec une déesse du vaudou. Il semble que le soldat refuse de lui faire l'amour le mardi et le jeudi, disant que ce sont des jours réservés à la déesse. Naturellement, j'ai tout de suite reconnu Erzulie, la maîtresse du désir... Vous imaginez ça : un jeune homme blond du sud des États-Unis, marié mystiquement à une déesse noire du vaudou. Et cette jeune femme blanche obligée de partager le lit conjugal avec cette déesse plus noire que la nuit. Bon, ça crée, bien sûr, des problèmes. J'ai vu le colonel américain, ce matin, et il m'a clairement fait savoir qu'il avait plus de problèmes, ici, avec les dieux qu'avec les hommes.

— C'est fascinant, dit Philippe.

— Bon... Le café a refroidi, et ça c'est inadmissible... Argentine, on n'a plus de café !

Argentine arrive presque tout de suite avec du café neuf.

— Alors ? dit le docteur après la première gorgée... Oui, je suis revenu, hier soir, de Bombardopolis... Ce minuscule village, on ne peut pas appeler ça une ville, du nord-ouest d'Haïti est en train de devenir un grand centre scientifique. Il y a là plus d'hommes de science que d'habitants. Tout le monde est là-bas, en ce moment. Des types de la NASA, des physiciens, des chimistes, des gynécologues, des biologistes du Salk Institute, naturellement des anthropologues et des ethnologues dont notre ami J.-B. Romain, des dentistes et un éminent linguiste belge. Tout ce monde travaille pour le département d'État américain. Il n'y a, paraît-il, pas un seul des huit cents habitants de Bombardopolis qui n'ait été examiné sous toutes les coutures. Et, hier soir, on déposait le premier rapport.

— Et ?

— Selon les professionnels, ces gens sont tout à fait normaux…

— Ce qui veut dire ?

— Ils ont un œsophage comme tout le monde. C'était ça : ils sont comme tout le monde. On en était là, hier soir. Aucune différence entre les habitants de Bombardopolis et ceux des villages voisins qu'on avait examinés aussi.

— C'est peut-être quelque chose dans l'air ? j'avance.

— Écoutez, vous imaginez qu'ils ont tout considéré… Ils ont fait venir des habitants du village d'à côté, et après trois jours, il a fallu les nourrir. Il n'y a que les gens de Bombardopolis qui n'ont pas besoin de manger pour vivre.

Je jette un regard à Philippe. Ses yeux comme des soucoupes.

— Qu'est-ce que vous dites là, docteur ? Ils n'ont pas besoin de manger pour vivre ? Je ne vous suis pas…

— En effet, c'est difficile à imaginer, mais je reviens de là… Bon, il y a eu quand même le rapport de ce linguiste belge. Selon lui, c'est le créole qui permet ça…

— Mais je parle créole aussi ! s'exclame Philippe sur un ton sarcastique. Alors pourquoi je suis obligé de manger trois fois par jour ?

— Il paraît que le créole de Bombardopolis est le plus pur d'Haïti. L'accent aussi. Je n'ai pas très bien compris, mais les types de la NASA ont pris des notes durant toute son intervention. Le linguiste belge a expliqué que

ces hommes, les habitants de Bombardopolis, sont devenus, d'une certaine manière, des plantes. Il a longuement
expliqué comment la photosynthèse a fonctionné dans ce
cas-ci. Par une sorte d'accord total entre l'homme et la
nature…

— Alors pourquoi, je demande, ils doivent manger au
moins chaque trois mois ?

— Bien sûr qu'on lui a posé cette question… Sa
réponse, c'est qu'il ne sait pas encore. Il a ensuite parlé de
la nécessité d'y installer un laboratoire ici même, à
Bombardopolis, et d'y garder une solide équipe de cher-
cheurs permanents de différentes disciplines. Naturellement, tout ça va prendre des années de travail soutenu, et
coûtera une fortune. Le major Sylva a bien fait comprendre que le gouvernement haïtien ne pourrait en aucun
cas financer de telles recherches. Les Américains, comme
toujours, ont accepté de prendre la facture. Ensuite, on est
revenus à des préoccupations plus scientifiques, et le professeur belge a fait remarquer la position des maisons de
Bombardopolis par rapport au soleil, le fait que les dents
des habitants sont généralement vertes, et l'humidité constante qui règne à Bombardopolis, et ceci malgré la séche-
resse qui accable les villages avoisinants. Il a ouvert de
nombreuses perspectives (pas toutes aussi spectaculaires)
et a été le seul conférencier à recevoir une ovation debout
de la communauté scientifique.

— Donc, conclut Philippe, dans moins de deux cents
ans, le créole risque de devenir la langue universelle, ce
qui réglerait par le fait même le problème de la faim.

— Tu l'as dit, jeune homme… Argentine ! Mais
qu'est-ce qu'elle fait ? Il n'y a plus de café !

Pays réel

*Pas jouré manman caiman toute temps ou pas
finn' passé la rivière.*

(N'insulte jamais le caïman avant d'avoir complètement traversé la rivière.)

LA PLUIE

La pluie sur la route qui mène à Pétionville, chez Philippe. Sur le bord du chemin, de jeunes paysannes se tiennent presque au garde-à-vous quand la jeep les croise. Le vent soulève légèrement leur robe. Elles acheminent des cargaisons de légumes aux hôtels de Port-au-Prince. Elles viennent de Kenskoff, ou même quelquefois de Jacmel. Imaginez qu'elles ont quitté Jacmel, la nuit dernière. À force de tenir ces sacs sur leur tête, elles ont fini par attraper cette démarche d'une folle élégance. L'entraînement rude des danseuses de ballet. L'une le fait pour plaire ; l'autre (la paysanne), pour survivre.

La pluie s'est arrêtée juste à l'entrée de Pétionville, devant ce magasin de meubles en acajou. La pluie reconnaît les frontières.

LA BOMBE

Bien sûr, Pétionville a ses pauvres, ses bidonvilles rugissants, ses marchés en plein air, mais c'est quand même là que se sont réfugiés tous les riches de ce pays. Dans certains quartiers, on se croirait dans n'importe quelle banlieue cossue nord-américaine. Un autre pays.

Apprenant qu'il y a une bombe dans l'avion, les gens de la première classe haussent les épaules en se disant qu'il n'y a aucun danger pour eux puisque la bombe se trouve en classe économique. C'est ça, Pétionville.

LA PHOTO

Un jeune garçon vient d'ouvrir toute grande la barrière pour permettre à la jeep de se garer dans l'entrée. Un assez joli jardin cachant presque une maison blanche de dimension modeste. Beaucoup de fraîcheur.

— Ton jardin est magnifique, Philippe… Il y a des odeurs que j'avais complètement oubliées.

Philippe se contente de sourire timidement.

— C'est Elsie qui a fait tout ça. C'est vrai que tu ne la connais pas encore… Chérie… Chééééérie… Devine qui est là ?

— J'arrive, Philippe… Ah ! tu es allé le chercher… Magnifique !

Elle descend : vive, jeune, gaie.

— Ah ! c'est toi ! Philippe parle de toi matin, midi, soir. Je te jure que tu es plus souvent dans sa tête que moi… Viens, je vais te montrer quelque chose…

Elle m'entraîne déjà vers cette petite pièce qui a l'air d'être le bureau de Philippe. Sur le mur du fond, une photo en noir et blanc, agrandie, où l'on voit trois jeunes lascars, maigres comme des harengs, debout devant le cinéma Paramount. Philippe entre Manu et moi.

— Tu vois cette photo, c'est la première chose qu'il a installée dans cette maison. Regarde là, ce sont tes livres, les seuls dans cette pièce qui ne sont pas des livres de comptabilité.

Elle me saute au cou.

— Je suis contente que tu sois ici… D'abord, enfin je peux mettre un visage sur ce nom, cette photo est bien trop ancienne pour que je puisse te reconnaître si je te rencontrais par hasard dans la rue, et je suis aussi contente parce que je sais que ce grand fou est heureux. Je le sais, dit-elle en touchant Philippe à l'épaule… Tu n'as pas encore vu Manu ? Lui, je le connais. Il est venu ici quand, chéri ? En décembre dernier…

— Non, je n'ai pas encore vu Manu, dis-je.

— Bon, c'est ça, dit-elle avec une légère amertume, je ne te verrai pas de la soirée, si je comprends bien, Philippe ?

Philippe ne dit rien.

— Regarde-le, il ne touche pas terre en ce moment…

— C'est toi qui es excitée comme une puce, chérie.

— Moi ! Oui, mais pas plus que toi… Moi, j'extériorise ce que je ressens, tout simplement.

— Tu me plais, Elsie, je lance spontanément.

Elle rougit violemment, puis sourit. Un sourire radieux.

— Moi aussi, tu me plais. Et beaucoup. Je vais te dire une chose : tu sais que Philippe n'a pas d'autres amis que Manu et toi… Je lui dis : tu as deux amis, l'un est à l'étranger et l'autre habite à Carrefour. Tu ne les vois presque jamais, alors fais-toi d'autres amis. Et sais-tu ce qu'il me répond ? « J'ai deux amis, je n'en ai pas besoin d'autres. » J'ai compris alors que ce qui est important pour les hommes se passe durant l'adolescence. C'est pour ça qu'ils se conduisent comme des gamins, des fois… Bon, je parle, je parle, et je ne vous ai rien offert… Philippe, te connaissant, tu as mangé là-bas…

— J'ai pris un morceau, chérie.

— Il mange assez souvent chez ta mère. Alors, quand ça arrive, j'en entends parler pendant des semaines, n'est-ce pas, chéri ? Ce qu'il fait dans ce temps-là, c'est qu'il achète tous les ingrédients et me demande de lui préparer la même chose que ta mère… Mais je ne sais pas préparer cette cuisine… Nous n'avons pas de cuisinière parce que je tiens à m'occuper de la maison moi-même. J'ai étudié aux États-Unis, tu comprends ? Je sais comment faire un steak, ou même quelque chose d'un peu plus compliqué, mais je ne sais pas faire à manger comme ta mère. Il faudra que j'aille la voir pour qu'elle m'apprenne, mais je ne pense pas qu'elle voudra…

— Pourquoi pas, Elsie, ma mère serait heureuse de…

— Je vois que tu ne connais pas bien les femmes… Et puis, je ne tiens pas à m'ingérer dans la vie privée de Philippe. Sa relation avec ta mère ne regarde que lui… Lui, toi et elle… Tu vois ce que je veux dire…

— Je ne sais pas trop bien de quoi tu parles, Elsie, mais je tiens à te dire que ma mère serait heureuse de te donner un coup de main… D'ailleurs, ce qu'elle fait, c'est toujours très simple… L'important, c'est de bien assaisonner la viande (sel, poivre, ail, persil, oignon) avec des épices fraîches. La veille. Et puis du citron, ça, elle y tient…

— Merci… Je sais que c'est simple, mais la différence c'est que, moi, je fais à manger, tandis que ta mère fait la cuisine, ce qui est un art… Mais quand même, je peux vous offrir quelque chose à boire…

— Oui, dis-je, je prendrai bien un cocktail de fruits.

— Bonne idée. Il fait chaud. Avez-vous chaud ? Je vois… Je débarrasse le plancher, et je vous donne l'occasion de parler entre hommes.

L'ENFER

Nous sommes restés dans la petite pièce qui sert de bureau à Philippe.

— Comment ça a été là-bas ? me demande-t-il presque brutalement.

— Tu sais que j'ai toujours voulu partir... Même s'il n'y avait pas eu de dictature, je serais parti, Philippe.

— Pourquoi ?

— On ne va pas reprendre cette discussion vingt ans plus tard.

— Tu as raison, dit-il en riant... C'est bizarre, je ne me suis jamais vu vivre ailleurs.

— L'horreur totale pour moi, ce serait d'être obligé de vivre toute ma vie dans le même pays. Naître et mourir à la même place, je n'aurais pas pu supporter un tel enfermement. Regarde, je viens de remarquer que dans enfermement, il y a enfer, c'est fou, hein !

— C'est bizarre, je n'ai jamais vu ça comme ça. Je ne me suis jamais senti coincé ici, d'une manière ou d'une autre. Bien sûr, il y a la misère, on manque de tout, et là, je ne parle pas de moi, mais quand même je regarde autour de moi, mais, et ça ne se discute pas, c'est mon pays...

— Mais, Philippe, je ne dis pas le contraire, et c'est mon pays aussi, que je le veuille ou non...

— Je ne te blâme pas, tu as toujours vu ça différemment, mais je ne comprends toujours pas comment on peut vivre tout ce temps hors de son pays. En tout cas, ça fait un ami qu'on ne voit pas souvent.

— Là, tu me touches. Des fois, là-bas, je me sens totalement seul. J'ai envie de hurler. Personne qui vous ait connu avant. C'est comme si vous n'aviez pas eu de « avant ». Vous n'avez qu'un présent. J'aime ça le présent. Je veux vivre dans le présent, mais il n'y a pas de présent sans passé. Alors, je pense à toi et à Manu, et à toutes sortes de choses que je ne saurais partager qu'avec vous.

— Moi aussi, dit Philippe, tu sais, c'est à ça que je pense quand je te dis que je ne comprends pas comment on peut vivre si longtemps hors de son pays.

— Déjà la langue… Là, on se parle en créole, et on ne sait même pas si on se parle en créole. On se parle tout simplement. Ce n'est pas la même chose dans une autre langue, même si c'est le français, et surtout quand l'accent est différent. On n'est chez soi que dans sa langue maternelle et dans son accent. Il y a des choses que je ne saurais dire qu'en créole. Parfois, ce n'est pas le sens qui compte, ce sont les mots mêmes pour leur musique, la sensualité qu'ils dégagent, tu comprends ? Il y a des mots que je n'ai pas employés depuis vingt ans, je sens qu'ils manquent à ma bouche. J'ai envie de les rouler dans ma bouche, de les mastiquer avec mes dents et de les avaler… J'ai faim de ces mots, Philippe.

— Je sais.

— Et il n'y a pas que les mots…

— J'imagine les fruits et les filles aussi, dit Philippe en riant tout en me lançant cette lourde tape dans le dos que je n'ai pas pu éviter.

LA JEUNE FILLE À LA POMME

Elsie entre brusquement dans la pièce, suivie d'une longue jeune fille.

— Vous m'avez l'air d'être sur un coup, les gars, jette joyeusement Elsie en déposant le plateau sur la table… Je te présente ma jeune sœur, Karine. Elle étudie à Montréal, et elle m'a dit qu'elle te connaît bien…

— Ce n'est pas ce que j'ai dit, Elsie. J'ai dit que j'ai l'habitude de le voir à la télé, à Montréal.

Tout mon sang se retire de mon corps. J'ai devant moi la réplique exacte de cette fille que j'ai vue, il y a vingt-cinq ans à peu près, près du Coles Market. Et nous sommes dans la même pièce qui devient subitement trop petite. Elle me regarde et elle sourit. La même vieille émotion qu'il y a vingt-cinq ans. Nous ne changeons pas.

— Bon, dit Elsie d'un air dégagé, maintenant que tu as été là-bas, raconte-nous ce que tu as appris là-bas…

— C'est ce que je viens de dire à Philippe, je n'ai pas été là-bas pour apprendre quoi que ce soit. J'ai été là-bas pour être ailleurs qu'ici. Et maintenant, j'ai quitté là-bas pour être ailleurs que là-bas…

— Il n'est pas simple, hein ! lance Philippe avec un demi-sourire.

Karine ne dit rien. Son visage devient subitement impénétrable.

— Je peux comprendre ça très bien, pour la bonne raison que je suis comme ça, mais, voilà, j'ai épousé un casanier. Il ne veut pas sortir. Il n'a pas d'amis à part toi et Manu. Alors, après le travail, il rentre ici. Je suis sûre qu'il ne me trompe même pas, dit-elle en riant. Mes amies m'envient, mais je trouve ça chiant parfois. Un homme sans surprise, voici ce que ton ami est devenu.

— Mais non, chérie, je suis en train de monter une nouvelle affaire, et ça prend tout mon temps. Après le boulot, je rentre à la maison me reposer.

— Oui, mais tu n'étais pas comme ça avant. J'ai l'impression d'avoir été piégée. Mes amies me disent que les hommes haïtiens sont tous des menteurs, des fourbes qui chercheraient à vous tromper avec votre propre sœur…

Les grands yeux de Karine.

— … Alors que Philippe est un homme différent. Pour mes amies, les hommes haïtiens ont toujours deux visages. Un visage d'ange et un visage diabolique. Naturellement, ils vous montrent d'abord leur côté angélique. Enfin, tout ça c'est compliqué pour rien, elles m'en parlent comme ça parce que je n'ai pas été élevée ici…

— Tes amies, elles, n'ont qu'un visage, j'imagine ? je finis par lui dire.

— Un bon point. Je leur demanderai ça la prochaine fois. Mais lui, dit-elle en pointant amoureusement le doigt vers Philippe, lui, puisqu'il s'agit de lui, et de lui seul, eh bien ! il m'a fait comprendre quand je l'ai rencontré qu'il était un séducteur et un mondain. Tu imagines ça, ton ami, un séducteur et un mondain, alors que c'est tout le contraire. Pour son malheur, cet homme n'a aucune vanité. Heureusement que j'en ai pour deux, lance-t-elle en riant, mais je commence à comprendre son système en te rencontrant. Ce qui l'attire, c'est son contraire.

Sourire indulgent de Philippe.

— Oui, j'ai raison, dit-elle… Regarde, ton meilleur ami est un voyageur, alors que toi, tu ne bouges pas de ta ville, que dis-je, de ton quartier… (Elle se tourne vers moi…) Et sa femme qui adore sortir, voir les gens, voyager, aller au théâtre, alors qu'il déteste tout ça pour mourir…

— Elsie, dis-je, j'ai l'impression qu'au fond tu es pareille.

— Comment ça ?

— Tu es attirée, toi aussi, par ton contraire, parce que je ne marche pas avec cette histoire de piège. Trop cliché pour moi. On ne sait jamais qui se fait piéger dans ces histoires. Toi aussi, tu aimes bien cette complémentarité.

Un rire rauque venant du ventre.

— Perspicace, ton ami, dit-elle en continuant à rire… Très perspicace…

— Elsie, c'est un écrivain ! lance Philippe. Et ce qu'il écrit part toujours d'un incident de sa vie personnelle…

— Et alors ?

— Donc, chérie, il est toujours en train de travailler, d'analyser les gens proches de lui…

Durant cet échange, je n'ai pas quitté Karine des yeux. Je n'éprouve aucun sentiment pour elle, juste une extrême curiosité. Qu'est-ce qui en elle m'attire aussi violemment ? Quelque chose que je peux à peine contrôler. Il y a des peurs ancestrales, il doit sûrement y avoir aussi des désirs ancestraux. Des types inscrits dans nos gènes.

— Si jamais, dit Elsie, me réveillant de ma torpeur, tu me mets dans un de tes livres…

— Qu'est-ce qui se passerait ? dis-je avec un sourire coquin.

— Eh bien ! je serais très amusée. C'est mon rêve d'être dans un livre. Je connais beaucoup de gens qui aimeraient écrire un livre, moi, mon rêve c'est d'être un personnage de roman. C'est le sommet pour moi. Je trouve ça d'un charme fou. Quand on me montre quelqu'un en me disant : « C'est lui qui a servi de modèle pour tel personnage », cette personne devient immédiatement irréelle à mes yeux. Je vois un nuage tout autour d'elle…

— Mais, Elsie, je t'écoute parler depuis que je suis arrivé, tu es tout à fait un personnage de roman moderne.

Son visage devient subitement écarlate. J'ai rarement assisté à une si rapide transformation chez quelqu'un.

— Vraiment ? fait-elle.

— On doit y aller, chérie, lance Philippe.

— Ah ! le jaloux ! crie-t-elle. Je savais que tu allais dire ça. Juste au moment où ça devient intéressant, tu veux partir, toi ! N'écoute pas Philippe, tu peux rester ici tant que tu veux. D'ailleurs, j'espère que tu viendras passer quelques jours avec nous.

Je me suis retourné, à la porte, pour jeter un dernier regard à Karine. Un coup de poing au plexus.

Pays rêvé

Rai chien, min di dent'l blanche.

(Tu peux toujours détester le chien, mais tu dois
admettre que ses dents sont blanches.)

Il a commencé à pleuvoir à la sortie de Pétionville. Une vraie pluie tropicale. Forte et brève. Philippe a allumé la radio. On est tombés en plein débat.

La question du jour : Faut-il considérer les gens qui ont vécu trop longtemps à l'étranger comme des Haïtiens ?

— Toujours la même connerie ! tonne Philippe. Ces gens sont toujours en train d'exclure...

Philippe allonge la main du même coup pour tourner le bouton, cherchant un autre poste.

— Non, Philippe, ce sujet me concerne.

— Qu'est-ce que tu vas apprendre ? Tu vas entendre des gens vociférer. Moi, s'il y a une chose qui m'emmerde ici, c'est cette manie de vociférer. On s'écoute hurler. Personne n'écoute personne. On vocifère. On essaie toujours de crier plus fort que l'autre, et finalement...

— Mais, Philippe, pourquoi un simple débat à la radio te met dans un tel état ?

— Je ne sais pas. C'est bizarre, quand je les entends crier comme ça, j'ai tendance à faire comme eux. La meute, quoi !

— Mais pourquoi ?

— Le soleil.

— Le soleil !

— T'as pas vu ce terrible soleil ? Il tape trop fort sur les crânes et il a fini par nous rendre fous. Il n'y a pas d'arbres dans ce pays, et il n'y a pas d'eau non plus. C'est un caillou au soleil. Nous sommes à la merci du soleil. Ce que les gens ne savent pas, c'est que nous sommes devenus fous. Même ceux qui font semblant de garder leur calme, comme moi par exemple… Dès que ça dépasse un niveau de décibels, je suis prêt à mordre. Pour d'autres, c'est la faim, moi, c'est le bruit qui me fait sortir du bois. Tu comprends, on est un peu fêlés de la tête.

— Graham Greene disait que les Haïtiens étaient des comédiens…

— Plus maintenant. C'est fini, ça. On n'est plus des comédiens. On ne joue plus de rôle, on est vraiment fous. Tu ne remarques pas qu'il n'y a plus de fous qui courent les rues ? Sais-tu pourquoi ? Tout le monde étant fou, il n'y a plus de cas individuels. Un fou ne peut pas se moquer d'un autre fou. Sais-tu ce qui nous a rendus ainsi ?

— La faim, j'imagine.

— La faim ne rend pas fou ; la faim tue. Ce qui nous a rendus fous, c'est d'abord le soleil, ensuite l'appétit du pouvoir, et enfin le sexe.

— Oh, j'ai l'impression, Philippe, que tu as toute une théorie là-dessus. Je ne te savais pas sociologue.

— Je ne suis pas sociologue, je regarde ce qui se passe autour de moi, c'est tout.

— Tu m'as déjà expliqué pour le soleil… Allons-y pour le pouvoir…

— C'est simple. Nous ne pensons qu'à une seule chose : devenir présidents d'Haïti.

— Pourtant, c'est un job assez risqué.

— Oui, répond-il avec un sourire, mais nous avons été éduqués comme ça, tu le sais mieux que moi. Nous sommes sept millions d'Haïtiens, et nous voulons tous devenir président de ce pays. Pas d'un autre pays. Les autres pays ne comptent pas. Seul Haïti compte. Tu sais ce qu'il a dit, un jour, Duvalier père ? Il a dit que l'énergie que ça prend pour diriger Haïti est si grande, qu'avec le

quart seulement il pourrait diriger les États-Unis, et cela
en ne travaillant que la fin de semaine. Et je le crois. Je le
crois parce que chaque président haïtien a sept millions
de rivaux. On devrait leur permettre de devenir tous
présidents au moins un jour dans leur vie, mais ça ne mar-
cherait pas puisqu'ils voudraient tous l'être à vie. Peut-
être qu'on devrait leur permettre de devenir tous présidents d'un coup : sept millions de présidents. Là encore, il
s'en trouverait au moins un, si ce ne sont tous, pour vouloir être le président des présidents... Finalement, il n'y a
qu'une solution...

— Laquelle, Philippe ?

— Permettre aux Haïtiens de s'occuper de la prési-
dence à l'échelle internationale. Par décret de l'ONU, à
partir d'aujourd'hui chaque pays doit accepter à sa tête un
Haïtien. C'est la seule solution que je vois pour le moment.

— Mais, Philippe, tu l'as dit, ils ne désirent qu'une
chose au monde : devenir président du pays peut-être le
plus pauvre de la planète : HAÏTI.

— Tu as raison. Il n'y a pas de solution. Tout nous
pousse vers la folie et le désespoir.

On se met à rire à gorge déployée sur la grand-rue,
près du portail Léogâne.

— Et le sexe, Philippe ? Tu sais que c'est un sujet qui
m'intéresse au plus haut point. Le sexe et la folie, joli couple d'ailleurs...

— Là, c'est mon côté comptable qui entre en jeu.
Voilà : nous sommes plus d'un million d'habitants à Port-
au-Prince, une ville qui ne peut contenir que le quart de
cette population. Dans chaque maison, il doit y avoir au
minimum seize personnes pour deux chambres à coucher.
Donc, il y a un problème pour le sexe à la maison. Tu sais,

pour faire l'amour dans les règles de l'art, je veux dire
avec un peu de bruit car le sexe ne sert pas uniquement à
la procréation, donc je disais que pour faire l'amour cor-
rectement, il faut d'abord payer le cinéma à tous les
enfants, et des fois il y en a plus d'une douzaine dans une
seule maison, ce qui constitue une si folle dépense qu'on
évitera de la renouveler souvent durant l'année. Donc
oublions la maison surpeuplée… Alors cela se passe où ?
Dans les hauteurs de Port-au-Prince, sur les routes natio-
nales, dans les bordels, dans les cahutes de paille près des
plages, dans les salles obscures de cinéma, sur les pistes
de danse (surtout au Lambi Club), enfin un peu partout.
Mais cela ne fait pas pourtant beaucoup de gens. Combien ? Dix mille personnes à tout casser. Ce qui veut dire
que chaque matin, mon frère, Port-au-Prince se réveille
avec une population de trois quarts de million de personnes frustrées sexuellement. Et quand ça fait trente ou cinquante ans que ça dure, ça commence à monter à la tête à
un moment donné. C'est la folie. Et c'est ici que je vis,
Vieux.

Pays réel

Nous cé cayimite : nous mu sous pied, min nous
pas janm tombé.

(Nous sommes comme ces fruits — les cayimites —
qui, même mûrs, ne tombent jamais de l'arbre.)

CARREFOUR

Voici Carrefour. Ça fait longtemps que je n'ai pas vu Carrefour. C'est sale, ça pue, c'est bruyant, mal construit, pollué. C'est ici qu'habite mon ami Manu. Le garçon le plus brillant de notre génération. C'est un poète urbain. Il joue de la guitare aussi. Ses chansons racontent la misère des petites gens. Elles sont dures, mais vont droit au but. Au cœur. Manu ne vise jamais ailleurs. C'est un ami très difficile. On ne sait jamais par quel bout le prendre. Malgré son succès, il n'a jamais quitté Carrefour.

COUP DE POING

On tourne brusquement à droite, à côté de l'épicerie Mont-Carmel, pour s'enfoncer dans une étroite route de terre battue cahoteuse. Une poussière blanche enveloppe la jeep. Des grappes d'enfants s'accrochent à la voiture. Philippe conduit en faisant très attention à ne pas heurter un enfant. Les parents nous regardent d'un œil bovin. Une jeep neuve dans leur quartier, c'est pas loin d'être pris pour une insulte.

— Hé, Philippe, dit un jeune garçon déterminé, si tu cherches Manu, il est sur la plage.

— OK, dit Philippe.

— Tu ne me donnes rien pour cette information ? réplique le garçon.

— Non, parce que je ne t'avais rien demandé. Et si je ne t'avais rien demandé, c'est simplement parce que je savais où il se trouvait.

— Tu savais qu'il était sur la plage ?

— Bien sûr… Il y est toujours.

— C'est vrai, dit un autre garçon au premier, tu ne peux pas le faire payer ça.

En guise de réponse, celui-ci flanque à l'autre un coup de poing à la figure. C'est la bagarre ! La jeep continue tranquillement son chemin jusqu'au bout de la route.

LES CANNIBALES

Philippe descend promptement de la jeep.

— Devine qui je t'amène, Manu ?

Manu se tourne et me voit.

— Pas ce vieux singe ! Depuis quand tu as fait terre ? Laisse-moi te regarder ! Tu as pris un peu de poids, mais tu as la même tête de salaud.

Manu, lui, n'a pas pris un kilo, ni même une ride en vingt ans. Il y en a qui se sont installés dans l'éternité.

— Comme ça, tu es revenu voir si on n'a pas été bouffé par les bêtes sauvages (son rire carnassier) ? Eh bien ! c'est nous qui les avons bouffées.

— T'as pas changé, toi non plus, je finis par dire. Toujours en train de manger de la chair humaine.

— Mais c'est très bon, lance Manu en même temps que son rire. Naturellement, il faut un peu de sel, de poivre et un brin de persil. C'est notre unique cheptel, tu sais, le seul qui nous reste. Nous n'avons plus de cochons depuis que les Américains les ont tués. Prétendument, ils avaient attrapé une maladie contagieuse. On n'a plus d'oiseaux puisqu'on n'a plus d'arbres, et comme on n'a plus d'arbres, il ne pleut plus, donc on n'a plus d'eau, comme tu vois, tout s'enchaîne… J'allais oublier : tous nos poissons sont cuivrés parce qu'ils passent leur temps à bouffer des carcasses de bateaux au fond de la mer. Alors qu'est-ce qui reste ? L'homme. Ici, mon ami, on mange de l'homme. Alors fais attention à ton joli cul ! Tu m'as l'air assez dodu, tu comprends, ça pourrait les tenter. Nos concitoyens aiment beaucoup la chair bien entretenue de l'homme qui a vécu longtemps à l'étranger. C'est beaucoup plus appétissant que la viande locale qui est maigre, sale et douteuse, tu sais, à cause des maladies. La viande étrangère est peut-être incolore, inodore, mais elle est aussi sans germes de maladie.

LES OIES DU CAPITOLE

— **B**on, ça va, lance Manu aux garçons qui nettoyaient la plage, on reprendra demain à cinq heures du matin, et si je ne suis pas là (Ah ! le vieux malin !), commencez sans moi. Tu sais, dit-il en se tournant vers moi, je leur apprends ce minimum, à nettoyer le devant de leur porte. C'est pas qu'ils ne veulent pas, tout simplement personne ne le leur a jamais appris à le faire. Faut un début à tout. Chaque jour, ils viennent ici pour jouer ou pour se baigner, et il y a cette merde un peu partout sur la plage. Je leur ai dit : C'est votre plage, eh bien ! vous allez la nettoyer…

— Toi, Manu, tu peux leur parler, admet Philippe…

— Mais je suis vingt-quatre heures sur vingt-quatre avec eux, c'est simplement pour ça qu'ils m'écoutent… Mes chansons racontent leur vie, tu comprends ?… Les oies du capitole, c'est eux…

— Ah oui ! s'exclame Philippe. Elsie adore cette chanson.

— Mais oui, c'est eux… Des zenglendos étaient venus, la nuit, pour me tuer. Je dormais sur la galerie. Il faisait très chaud. Les tueurs s'approchaient de la maison. Ils étaient parvenus tout près de la galerie quand on a entendu un vacarme de tous les diables. Tout le quartier s'est réveillé en sursaut. Les tueurs aussi ont pris peur et se sont enfuis… Tu comprends, avec eux, ici, personne ne peut m'atteindre. Alors eux, c'est moi ; moi, c'est eux…

— Mais, Manu, dis-je, il n'y a pas que ces garçons qui ont besoin de ta lucidité. Le pays ne se résume pas à Carrefour.

— Toi, le voyageur, une chose à la fois.

— Toi, le voyageur, s'exclame Philippe, c'est un beau titre de chanson, ça, Manu.

— Je sais.

NOUVELLE CHANSON

— **M**a nouvelle chanson, dit brusquement Manu, tu peux être sûr, Philippe, qu'Elsie ne va pas l'aimer.

— Pourquoi dis-tu ça ?

— Ça parle d'un problème dont elle ignore l'existence…

— C'est quoi le thème ? je demande.

— Matières fécales, lâche Manu.

— Comment ça ! lance Philippe, bouche bée. Tu dis ça juste pour faire chier.

Rires.

— Si même Philippe se met à avoir de l'humour…

Quand tout le monde fait de l'humour dans un pays, c'est qu'il n'y a plus rien d'autre à faire. L'humour, c'est l'affaire des désespérés, ce qui n'est pas mon cas, termine Manu.

— Qu'est-ce que tu racontes là ? À ce que je sache, tu utilises l'humour tout le temps dans tes chansons.

— L'ironie… Rire jaune… J'aime rire jaune. Je trouve que le jaune me va. À propos, Philippe, je ne fais pas de chansons, je prépare des bombes.

— Et ça parle de quoi, cette dernière ? je demande une nouvelle fois.

— Je ne sais pas si tu as remarqué, mon cher voyageur, eh bien ! la population a triplé, quadruplé, quintuplé… En d'autres termes, il y a cinq fois plus de trous de cul dans cette ville qu'avant, et on n'a pas construit une seule latrine publique depuis vingt ans dans ce pays. Je te parie, cher Philippe de Pétionville, que ces gens savent chier aussi, peut-être pas trois fois par jour comme à Pétionville, mais au moins une fois. Alors, on retrouve cette merde partout. Merde de chiens, merde d'hommes, Je parie que tu ne t'es jamais posé cette question, cher Philippe de Pétionville, à savoir où tout ce monde chie ? Où chient-ils ? Moi, ça fait des années que je pense à ce problème, mais j'ai toujours su où ils chiaient. Je le sais, et je vais te le dire. Partout dans les quartiers pauvres. Chez moi, sur ma galerie. Sur la plage. Chez mon voisin. Ici, on manque peut-être de bouffe, mais ce n'est pas la merde qui fait défaut. On a même un problème d'abondance de ce côté. On ne mange pas, mais on chie pareil. Je trouve ça injuste, tu vois. Les pauvres ne devraient pas chier. Ils ne devraient pas avoir ce problème. La merde devrait être uniquement un problème de riche. *Je n'ai pas mangé de pois, alors pourquoi chierais-je du pois ?* Bon, c'est ça, le nouveau thème, comme vous dites, et je parie que je n'aurai pas beaucoup de succès avec ça à Pétion-ville. Comme on dit là-bas, il y a des limites à ne pas franchir. Moi, je parle de ce qui m'arrive, et ce n'est pas de ma faute si, chaque fois que je sors de chez moi, je bute contre un tas de merde… C'est aussi ça la vie, je suppose.

PETIT DICTATEUR

La maison paraît ouverte aux quatre vents.
— Chaque fois que je fais un peu d'argent, dit Manu en montrant sa maison presque sans toit, j'ajoute un morceau.

— Mais Manu, je fais, personne ne t'a dit qu'on commence par le toit ? Quand il pleut…

— Je mets un prélart, et ça fait l'affaire, sinon, ça me permet de voir le ciel de mon lit.

— Merde ! tu vas attraper la crève, un jour.

— Hé ! toi le voyageur, oublie un peu d'où tu viens. Ici, il fait chaud ou il pleut. C'est simple, quand il pleut, je mets le prélart. Merde ! ça ne me semble pas difficile à comprendre… Même Philippe l'a compris.

— Je n'ai rien compris, dit Philippe, je ne voulais simplement pas te contrarier…

— Comment, pas me contrarier ! Je ne suis pas ton père ! Merde, Philippe, t'as bu ou quoi ! Pas me contrarier, continue-t-il à marmonner comme un vieillard édenté.

— Laisse tomber, Manu. Philippe a dit ça pour te faire chier. Il sait très bien que tu n'aimes pas qu'on monte en épingle ton petit côté dictateur.

— Qu'est-ce que vous avez tous les deux ! s'exclame Manu avec son sourire d'ange exterminateur… Vous

aussi, vous avez votre petit côté dictateur. Tous les Haïtiens ont un dictateur et un dieu vaudou qui dansent dans
leur tête.

— Manu, dis-je, mi-figue mi-raisin, on a déjà nos ca-
ractéristiques : moi, je suis le voyageur, ce qui veut dire
dans ton langage que je ne comprends plus rien de ce qui
se passe dans ce pays, que je suis complètement décon-
necté après vingt ans à l'étranger, ce qui est peut-être vrai,
remarque…

— Oh, fais pas chier, j'ai pas voulu dire ça, écoute…

— Laisse-moi finir, Manu… Et Philippe est Philippe
de Pétionville, c'est-à-dire un de ces affreux bourgeois qui
ont mis le pays dans l'état où il est. Alors nous, on a
décidé, vu ton tempérament, que tu étais le petit dictateur,
celui qui tente de manipuler les émotions de tout le
monde.

— Écoutez, les gars, vous exagérez tout de même…
Appelez-moi le musicien subversif.

— Oui, tu es ça aussi, mais si j'ai bien compris, dis-
je, ton jeu, c'est de grossir les traits négatifs de chacun.

— OK… Prenez un truc négatif, je ne sais pas, le
grand méchant loup, par exemple. Regardez, je suis maigre comme un loup…

— Écoute, Manu, ce n'est pas un conte pour
enfants… Tu connais le principe. Plus tu refuses un sur-
nom, plus il te colle à la peau.

— Merde ! mais pourquoi dictateur ?

— Je vais te le dire, Manu, lance Philippe, parce que
tu es un vrai dictateur. Tu as tellement combattu le dictateur que tu as fini par lui ressembler…

— Comment ça ? demande Manu, étrangement intéressé…

— Tu as tellement passé tout ton temps à dire et à

faire exactement le contraire de ce que dit et fait le dictateur qu'à la fin tu as fini par lui ressembler, continue
Philippe. Un effet de miroir…

— Qu'est-ce que c'est que cette histoire ! Je croyais
que tu étais comptable, Philippe. Tu prends des cours de
sociologie par correspondance maintenant ?

— C'est simple, Manu, tu es toujours contre tout,
comme le dictateur qui se retrouve, à la fin, seul contre le
peuple.

— Pas vrai ! dit Manu d'un ton véhément. Je suis
avec le peuple.

— Tu es plutôt contre le dictateur pour le moment,
dis-je timidement, ne voulant pas jeter trop d'huile sur le
feu.

— Bien sûr que je suis contre lui.

— Oui, murmure Philippe, tout contre…

Le regard acéré de Manu. Enfin, son sourire ravageur
d'enfant irresponsable qui flanque par terre littéralement
les femmes.

— OK, alors pourquoi petit ?

— Parce que tu n'es tout de même pas Duvalier, je
fais, espèce de mégalomane.

Rire général. Philippe finit par m'atteindre une
deuxième fois d'une de ses fameuses tapes dans le dos.

— J'ai une surprise pour toi, voyageur… J'espère
que Philippe a gardé sa langue.

— Bien sûr, Manu…

LA SURPRISE

— La voilà, ma surprise, dit Manu avec un grand geste
de la main et un sourire fier.

— Antoinette !

Le sourire victorieux de Manu. « Finalement, me dis-je, c'est lui qu'elle a choisi. » D'une certaine matière, je savais que ce serait lui.

— Tu as bien caché ton jeu, Manu, tu nous as toujours fait croire qu'Antoinette ne t'intéressait pas.

Manu se contente de hausser les épaules. J'embrasse Antoinette. Le même parfum. L'odeur de son corps. Brusquement, j'ai une de ces migraines…

— Chéri, dit Antoinette de sa voix chantante (oh ! que ça fait mal au cœur ! vingt ans plus tard, je ne pensais pas que ça me toucherait à ce point), tu as oublié les commissions.

Ce ton conjugal qu'elle prend pour s'adresser à lui. C'est aussi obscène que d'entrer dans la chambre de ta mère pour la découvrir nue avec un autre homme que ton père. Pourquoi ça me fait cet effet ? J'avais vingt-trois ans quand j'ai quitté Port-au-Prince. On avait tous les trois (Manu, Philippe et moi) vingt-trois ans. Nous sommes de la même fournée. Antoinette avait juste dix-neuf ans. Ce soleil planté au milieu de nous. Notre gloire !

— J'allais justement faire les commissions, chérie, quand cet imbécile de Philippe est arrivé avec ce salaud qu'on n'a pas vu depuis vingt ans.

— Moi, je le vois souvent à la télé, dit-elle tranquillement.

— Bon, je vais acheter les trucs à bouffer, lance Manu en quittant la pièce. Si vous voulez quelque chose à boire, Philippe, tu sais où traînent les bouteilles. J'ai du clairin, ça devrait intéresser le voyageur.

— Tu parles, Manu, dit Antoinette en lui donnant une légère tape sur la joue… Va faire les commissions, si tu veux qu'on mange.

— OK, les gars, je vous laisse avec ma femme. Ne tentez rien, c'est trop tard.

Le coup de pied de l'âne.

COUP DE FOUDRE

Nous sommes restés dans la salle de séjour, si on peut employer ce genre de terminologie ici, à nous regarder comme des chiens de faïence.

— Il est fou de joie de vous voir, dit finalement Antoinette.

Je remarque que sa première parole n'était pas pour moi qu'elle n'avait pas vu depuis vingt ans. Visiblement, il l'occupait entièrement (corps et esprit). Si au moins elle avait vieilli ou s'était enlaidie, j'aurais pu penser qu'elle avait en définitive choisi Manu par désespoir. Mais non, elle semble plus radieuse que jamais. Comment peut-on être jaloux de son meilleur ami ? Oui, quand il s'agit de la femme de nos vingt ans. Mais aujourd'hui mes vingt ans ont vingt ans. Et elle est là, comme la première fois que je l'ai vue sous la pluie. C'était à un match opposant le vieux Racing Club à l'Aigle Noir, et on était tous les quatre assis dans les gradins du stade Sylvio-Cator quand il a commencé à pleuvoir des cordes. Ça nous a rendus comme fous. On criait. On hurlait. Le match se poursuivait malgré le fait que le terrain était devenu visiblement impraticable. Une énorme mare aux canards. Les joueurs couverts de boue. Et nous dans les gradins qui n'arrêtions pas de hurler. J'avais enlevé ma chemise, et le groupe avait suivi mon geste. À un moment donné, je me suis retourné et je l'ai vue. Comme je ne l'avais jamais vue auparavant. Comme je ne verrai jamais plus une femme. Elle était là dans cette robe jaune. On était en avril. Tout était parfait. Je ne pouvais détacher mon regard d'elle. Ces yeux. Cette bouche. Cette poitrine. J'avais la tête vide. Je n'arrivais pas à regarder ailleurs. Seigneur, ai-je pensé, je vais perdre la tête. Et je l'ai perdue.

LA PLUS BELLE CHANSON D'AMOUR

— Il est comme ça, dit Antoinette, il joue au dur, mais si vous saviez comme il est fragile, comme c'est facile de le blesser. Un rien le touche.

     — On n'a qu'à écouter ses chansons, jette Philippe. Pour moi, la plus belle chanson d'amour que j'ai entendue reste *La Fille du Stade*. Je n'ai jamais entendu quelque chose d'aussi beau.

     — Ah oui, dit Antoinette toute troublée.

     — Et ça raconte quoi, Philippe ? je demande.

     — C'est une histoire d'amour. Un coup de foudre. Le type est allé voir un match au stade avec des amis, dont la fille. À un moment donné, il a commencé à pleuvoir. Et là, il y a un passage très vivant où la pluie les rend tous très joyeux. Jusqu'à présent, le rythme est assez endiablé. À un moment donné, le type se retourne et voit la fille. Il la connaît déjà, mais c'est comme s'il la voyait pour la première fois sous cette pluie battante. Et il ne peut détacher ses yeux d'elle. Il la regarde, et il n'arrive pas à regarder ailleurs. Ce qui est magnifique dans cette chanson, c'est qu'on a l'impression d'assister au premier regard d'Adam sur Ève. La première fois.

     — Je ne suis pas d'accord, Philippe, dit calmement Antoinette. Il s'agit tout simplement du début d'un amour, de l'amour entre un homme et une femme, c'est tout.

— C'est ce que je voulais dire, s'enflamme Philippe. Il s'agit de la naissance de l'amour…

— C'est comme tu veux, mais j'ai vu une histoire personnelle entre un homme et une femme…

— Est-ce toi, Antoinette, la fille du stade ? je demande.

Un long moment de silence.

— Je me souviens d'avoir été au Stade, une fois, et qu'il avait beaucoup plu, mais ce n'est pas pour cette raison que cette chanson m'a plu.

— Pourquoi alors ?

Un temps.

— Je suppose, dit-elle d'une voix très douce, à cause de sa sincérité.

Sincérité, mon œil ! Je me souviens d'avoir raconté une histoire semblable à un ami, mais c'était il y a plus de vingt ans.

LE RETOUR DE L'ENFANT PRODIGUE

On entend la voix de Manu de la rue.
— Il faut fêter l'enfant prodigue.

Il entre.

— Comment ! Philippe, t'as pas été capable de trouver les bouteilles ?

— Manu, écoute, peut-être qu'il faudrait que j'aille chercher la voiture près de la plage. Il fait déjà noir.

— Écoute, Philippe de Pétionville, je ne sais pas ce qu'on t'a dit à propos de Carrefour, mais si c'est ce que tu crains, tes enjoliveurs seront là demain matin…

— Demain matin ! s'exclame Philippe. Non, Manu, je dois rentrer ce soir. J'ai promis à Elsie…

Manu éclate.

— Toi et ta petite bonne femme bourgeoise, dit-il en se dirigeant vers la cuisine, vous n'allez pas m'empêcher de fêter mon frère que je n'ai pas vu depuis vingt ans.

LE SECRET

Il continue son chemin jusqu'à la cuisine.

— T'as bu, hein ! s'inquiète Antoinette.

— Non. Pourquoi ?

— Je sais que t'as bu, insiste Antoinette.

J'étais allé pisser dehors, et je les regardais par la fenêtre ouverte. Manu, maigre comme un chat de ghetto et les grands yeux noirs d'Antoinette.

— Oh ! dit Manu en faisant ce geste de la main comme pour chasser une mouche, les types du coin de la rue m'ont demandé de prendre un coup avec eux.

— Merde ! t'as quel âge ? Tu sais qu'on t'a interdit la boisson. Et je parie que tu n'as rien mangé depuis ce matin.

Et voilà Philippe qui arrive. Visage poupin. Il essaie d'enlacer Antoinette qui se retourne brusquement comme un animal sauvage. Ce genre de femme n'a qu'un homme. J'achève de pisser sur les plantes d'Antoinette.

LA FÊTE COMMENCE

Manu va directement à sa cachette pour sortir les bouteilles.

— Tu sais, dit-il, les gens entrent et sortent d'ici toute la journée, et naturellement, ils savent qu'ils peuvent boire à gogo, tu comprends que si je ne garde pas quelques bouteilles à l'abri...

— Qu'est-ce qui t'arrive, Manu ? lance joyeusement Philippe. Ce sont les mêmes bouteilles que la dernière fois que je suis venu ici.

— Ouais... J'ai d'autres cachettes, répond-il d'un ton cassant. Celle-là, c'est pour mes invités de marque. Tu comprends, si un type de Pétionville s'amène, je dois pouvoir...

— Ah ! merde, dit Philippe, vas-tu arrêter de la ramener, celle-là.

— Tu as tort, Philippe, parce que c'est vrai, dit Antoinette... C'est uniquement pour toi qu'il garde ces bouteilles.

— On ne peut jamais savoir avec lui, marmonne Philippe.

— Je propose de porter ce toast au voyageur... Un proverbe africain dit : *Celui qui voyage ne devrait pas avoir de tombeau...*

— Tout à fait d'accord, Manu, je souhaite qu'on m'enterre là où je tombe, et qu'on n'avertisse personne de ma mort avant dix ans. Les gens pourront toujours me croire en voyage.

— Moi, si je meurs, j'aimerais qu'on m'enterre debout.

— Arrête avec tes conneries, Manu, jette Antoinette... Il n'y a pas un autre sujet ?

— Merde ! lance Manu, pourquoi avez-vous tant peur de la mort ?... C'est très simple : on naît, on vit, on meurt. On ne sait pas d'où l'on vient, ni où l'on va, ça me semble correct. Je ne cherche pas à en savoir plus, mais je revendique le droit de parler de ma mort.

LA CHANSON

Manu a enfin sorti sa guitare.
— J'espère que cette chanson va te rappeler quelque chose, cher voyageur…

— Tu ne veux pas manger un peu, Manu ? demande Antoinette.

— Je n'ai pas faim.

La voix s'élève. La même que j'ai toujours connue : grave, dure, et cette façon qu'il a de mastiquer les mots. On dirait qu'il les fait éclater sous ses dents. *La Fille du Stade*. C'est la première fois que je l'entends vraiment. J'ai l'impression d'être de nouveau au Stade, et d'avoir de nouveau vingt ans. Comme cet après-midi d'avril. Déjà la pluie. Et ma joie. Tout est là. Au présent. Je me retourne. Le visage d'Antoinette. Ce visage exposé à la pluie et à l'amour. Ce n'est plus mon histoire qu'il chante. Ce souvenir lui appartient.

— J'ai pensé, dit-il à la fin de la chanson, avec son sourire en coin, que ça t'intéresserait.

Droit au cœur.

UNE ÉTOILE EST NÉE

— **M**ange quelque chose, insiste Antoinette.
Manu prend une cuisse de poulet.

— Regarde le ciel, dit-il. Des fois, je passe la nuit à le regarder. On dirait un grand vide qui veut m'aspirer… Un jour, je serai une étoile là-haut.

L'étoile Manu.

LES TRIPES

Le visage inquiet d'Antoinette. Manu se lève calmement, dépose la guitare contre le mur, et se dirige vers
la porte qui donne sur la cour arrière. Antoinette le suit
discrètement. J'observe la scène pendant que Philippe me
raconte sa dernière tentative de produire une tournée avec
Manu. Ils devraient faire Montréal, Boston, New York,
Chicago, Miami, les grandes villes de la diaspora nord-
américaine. Ils ont commencé par Boston. Manu a donné
beaucoup d'interviews à la radio, à la télé, et même au
Boston Globe. Philippe devait passer le prendre pour
qu'ils se rendent tous les deux à la salle de concert. Manu
était là, à la porte, prêt à partir. Juste au moment de monter
dans la voiture, il a voulu retourner à sa chambre pour
changer de chemise ou quelque chose de ce genre. Aucun
problème puisqu'ils n'étaient pas en retard.

— Et je l'ai revu deux mois plus tard, à Port-
au-Prince, devant le Rex-Théâtre… Et sais-tu quelle explication il m'a donnée? Écoute ça, il m'a dit que c'est en
prenant l'ascenseur qu'il a eu comme une illumination.
On ne devrait jamais chanter deux fois la même chanson
dans une vie. Tout devrait être fait seulement une fois. On
devrait aimer une fois, chanter une fois, faire l'amour une
fois. Alors c'est pourquoi il a arrêté de chanter. Pour lui
c'est absolument obscène cette manie qu'ont les gens de
vouloir entendre sans cesse la même chanson qu'ils connaissent déjà par cœur. Et il m'a dit, ce même soir, que
chaque fois qu'il pense à cela, il n'a qu'une envie: vomir.

Soudain, on entend ce bruit terrible, comme si
quelqu'un était en train de vomir ses tripes.

— Manu!

La voix d'Antoinette.

LA MALADIE

Finalement, Antoinette est revenue.

— Philippe le sait déjà, dit-elle… Le médecin lui a donné deux ans s'il se soigne, et deux à trois mois s'il continue à vivre comme avant.

— Et qu'est-ce qu'il a choisi ? je demande.

— Il continue comme avant, mais je le surveille un peu.

— C'est un chat, ce type, dit Philippe. Il nous enterrera tous, tu verras, Antoinette.

— Possible, dit Antoinette d'un ton las, parce que selon le médecin, il aurait dû déjà mourir depuis longtemps. Il ne lui reste que la carcasse. C'est dur à vivre. Là, il vient de prendre des médicaments, et il se repose. C'est qu'il a bu un peu tout à l'heure quand il est allé à l'épicerie. Je ne peux pas le suivre à chaque pas, et en même temps, je veux qu'il souffre le moins possible. Là, avec ce remède de cheval, il en a pour huit à dix heures de sommeil profond.

— Je ne sais pas quoi dire…

— Surtout ne dis rien, murmure-t-elle. Il faut que tu te comportes comme avant avec lui. Tu l'engueules s'il dit trop de conneries. Il adore se faire engueuler, tu dois savoir ça.

— C'est pour ça qu'il provoque tout le monde sans arrêt, lance Philippe.

— Non, dit Antoinette. Il n'y a que vous deux qui pouvez l'engueuler… Personne d'autre…

NOTRE PRINCESSE

Le père d'Antoinete possède le plus luxueux hôtel de Pétionville. À l'entrée de Pétionville.

— C'est bizarre, me dit-elle un jour, peu après notre rencontre, ça fait trois mois qu'on se connaît, et ni toi ni Manu ne m'avez jamais demandé qui je suis…

— On sait qui tu es : Antoinette.

— Là d'où je viens, c'est la première chose qu'on veut savoir de toi. Qui sont tes parents ? As-tu un nom ?

— Oui, mais pas Philippe ?

— Philippe est un cas, lance-t-elle. Il serait heureux n'importe où… Mais vous autres, je ne comprends pas. L'argent ne semble pas vous intéresser…

— L'argent, oui, mais pas l'argent des autres.

— Mais il y en a qui tireraient fierté de sortir avec la fille de untel. Je te le dis parce que c'est comme ça.

— Je vais te dire une chose, Antoinette. Tu sais, Manu croit dur comme fer qu'il est un prince, alors ton père…

Un léger silence.

— Moi aussi, dit-elle avec une sorte de gaieté subite, je crois que vous êtes des princes. C'est simple, si je suis une princesse, alors les hommes que j'aime sont forcément des princes…

On a ri tous les deux.

UN CHEVAL SAUVAGE

On a entendu le lit craquer.
— Tu veux quelque chose, chéri ?
Manu est déjà dans la pièce.

— Les verres sont vides, semble-t-il ?

Antoinette se lève d'un bond pour le ramener dans sa chambre.

— Qu'est-ce que tu fais là, chéri ?

Il se laisse emmener sans protester.

— Ils n'ont rien dans leurs verres, chérie.

— Je m'en occupe, dit Antoinette.

Ils se sont parlé tout bas pendant un moment. Puis elle est revenue.

— Vous savez que ce remède est fait pour calmer les chevaux sauvages et, semble-t-il, ce n'est pas assez fort pour lui.

Elle a dit ça avec un sourire à la fois triste et admiratif.

— Est-ce qu'il mange ? je demande.

— Il mange à peine, et quand vraiment j'insiste, dit-elle. Je ne comprends rien. Je ne sais pas de quoi est fait cet homme. Je souffre de migraines. Des fois, j'ai tellement mal que je prends une toute petite portion de son médicament, et je tombe morte pour au moins trois jours… Vous m'excusez, mais je vais vous demander de partir. Je dois m'occuper de lui.

On s'embrasse.

LE VEILLEUR

On a trouvé la jeep, qui nous attendait sagement près de la plage. Philippe a fait le tour pour voir si rien ne manquait. Un petit garçon est sorti de l'ombre.

— Vous partez ? demande-t-il timidement.

— Oui, dit Philippe.

— Je rentre me coucher alors… Manu m'avait demandé de veiller sur la jeep.

Philippe cherche dans sa poche quelques sous à lui donner, mais il a déjà disparu.

LE CHAT ÉTOILÉ

Je me suis assoupi en entendant cette vieille chanson de l'orchestre Septentrional : *Louise-Marie*.

« Louise-Marie, belle déesse
douceur enivrante
sucre de miel
notre amour c'est toi qui l'a trahi… »

Je me suis réveillé quand la jeep s'est arrêtée devant chez moi.

— Voilà, dit Philippe, tu es à la porte, comme ça ta mère ne va pas s'inquiéter.

— Ma mère ne s'inquiète jamais quand je suis avec toi.

— Maintenant, je vais affronter Elsie… Je dis ça, mais je sais bien qu'elle doit être à une fête chez des amis. Et ne t'inquiète pas pour Manu, ce n'est pas la première fois qu'il se retrouve dans le couloir de la mort. Je ne l'ai jamais dit à Antoinette, mais il y a dix ans, c'était la même chose dans les mêmes termes…

— C'est un chat, dis-je.

— Oui, répond gravement Philippe, un chat étoilé.

Je suis resté à le regarder jusqu'à ce que la jeep tourne au coin de la rue. Je ne sais pas pourquoi, j'ai refermé la barrière. Un long hurlement de chien squelettique. Je descends la rue, calmement, les mains dans mes poches. Pas âme qui vive. Au-dessus de ma tête, le ciel immense de Port-au-Prince. La pleine nuit.

LA VACHE

Elle traverse la rue, pas loin de la station Esso de la rue Capoix. Que fait une vache à cette heure de la nuit, en pleine ville ? La voilà qui me regarde. L'insoutenable douceur de ses grands yeux noirs. Un moment d'hésitation. Qu'est-ce qui se passe dans sa tête ? Comment me voit-elle ? Finalement, l'énorme masse de viande se décide à bouger. Personne autour de moi. Le silence de la nuit profonde.

LISA !

Je ne sais pas pourquoi mes pas m'ont conduit devant chez elle. Je ne pensais pas avoir tant bu que ça. Peut-être que ce n'est pas la raison. Juste un prétexte pour avoir le courage d'aller chez elle en pleine nuit. Tout est noir chez Lisa. Malgré tout, je saute le mur et me retrouve sous sa fenêtre.

— Lisa ! Lisa ! Lisa !

La fenêtre s'ouvre.

— Qu'est-ce que tu fais là ?

— Je passais dans le coin...

— Tu ne sais pas quelle heure il est ?

— Excuse-moi de t'avoir réveillée.

— Je ne dormais pas... Qu'est-ce que tu veux ?

— Rien... Te voir...

— C'est dangereux de marcher comme ça, la nuit...

Bon, je ne peux pas te parler, je risque de réveiller ma mère. Alors, on se voit demain ? Passe me prendre vers deux heures au musée.

LE LIT

Mon lit était prêt avec un matelas neuf. Je me couche tout habillé, totalement épuisé, mais heureux.

— Bonne nuit, Vieux Os.

— Tu ne dormais pas, maman ?

— Je réfléchissais…

— Faut te reposer l'esprit, maman.

— C'est le seul moment que j'ai pour penser à moi.

— Tu pensais à quoi ?

— À toutes sortes de choses. À la vie en général… À ton père aussi…

— Mon père est mort, il y a près de douze ans.

— Oui, tu m'as écrit pour me l'annoncer. Tu sais, quand j'ai reçu cette nouvelle, j'ai pleuré sans pouvoir m'arrêter pendant des jours. J'ai pensé que cette peine m'emporterait… Puis une femme qui travaillait avec moi, ici, m'a dit : « Madame, je vais prier avec vous, vous verrez, votre peine passera. » On a prié effectivement. Après, je me suis endormie sur le plancher et j'ai dormi pendant plus de dix heures d'affilée, moi qui ne dors jamais plus de quatre heures. Je me suis réveillée et ma peine n'était plus là. Je ne souffrais plus comme avant. Avant, j'avais un grand trou là, au creux de mon ventre, comme si un rat vivait à l'intérieur de mon corps… Et toi, tu l'as vu, ton père ?

— Oui, je l'ai vu dans son cercueil, et j'ai remarqué une chose étrange, c'est qu'on a exactement les mêmes mains.

— C'est vrai… Quand tu étais petit, je disais souvent à ton père : « Regarde, tes mains en miniature » et ça le faisait sourire… Et aussi, vous avez la même façon de remercier, un « merci » sec…

— C'est toi qui m'avais dit ça, un jour... Moi, je n'ai entendu sa voix qu'une fois dans ma vie.

— Ah oui ?...

— J'étais allé le voir dans ce petit appartement de Brooklyn. J'ai frappé à la porte. Aucun bruit. J'ai continué à frapper tout en appuyant mon oreille contre la porte. Finalement, j'ai entendu quelqu'un marcher vers moi.

— Qui est là ?

— Ton fils, dis-je.

— Je n'ai pas d'enfants, tous mes enfants sont morts.

— C'est moi, papa, je suis venu te voir.

— Retourne d'où tu viens, tous mes enfants sont morts en Haïti.

— Mais je suis vivant, papa.

— Non, il n'y a que des morts en Haïti, des morts ou des zombis. Il n'a pas ouvert la porte et je suis parti. Ce fut notre unique conversation.

— Il pensait que nous étions morts, dit lentement ma mère, et c'est ça qui l'a rendu fou.

— Depuis douze ans, j'ai cette conversation qui me trotte dans la tête. Pourquoi a-t-il dit qu'il n'y a que des zombis en Haïti ? Comme si ce pays n'était à ses yeux qu'un immense cimetière.

— Comme si nous étions tous morts sans le savoir, continue ma mère. Ton père était un homme très intelligent, tu sais. Il savait des choses très délicates, des choses qu'on ne peut percevoir qu'en plissant les yeux... Il avait une sensibilité exacerbée. Alors, peut-être qu'il voyait des choses que nous ne pouvions percevoir à l'œil nu... Je sens que tu ne peux plus garder les yeux ouverts.

— C'est vrai, maman. Je suis totalement épuisé.

— Alors, bonne nuit, Vieux Os.

— Bonne nuit, toi aussi.

— Je ne pense pas que je pourrai dormir. J'ai trop de choses dans la tête.

Le hurlement inconsolable d'un chien.

Pays sans chapeau

Cé quand tête coupé, ou pas mété chapeau.

(Tant qu'on n'a pas encore la tête tranchée, on peut garder espoir de porter un jour un chapeau.)

LA MAIN

Je sens une main rugueuse sur mon cou. Je fais un rêve étrange, et dans ce rêve, on me poursuit. Une petite foule de gens en colère veut m'attraper. Je cours. D'ordinaire, dans de pareilles situations, je parviens toujours à m'envoler au moment critique. Cette fois, mes jambes refusent de bouger. Et la foule s'approche dangereusement. Quelqu'un finit par me prendre par le cou. Une main rugueuse.

— C'est le temps.

— Hein ! Quoi ?

Le visage énigmatique de Lucrèce en face de moi.

— On doit partir maintenant.

— Où va-t-on ?

— Vous verrez…

— OK, je dis en me levant, je vais faire un brin de toilette et je vous retrouve à la barrière.

— Non, dit-il sèchement… C'est un voyage qu'on fait en gardant sur soi l'odeur du sommeil.

UN CHIEN JAUNE

Il marche en sautillant à la manière paysanne. Quelques colliers de maldiocs autour de son cou. Il porte une veste bleu de Siam avec deux grandes poches en avant, et un chapeau de paille si légèrement posé sur sa tête qu'on est sûr que le moindre vent l'emporterait.

— Dès qu'on franchira cette barrière, dit-il, on tombera dans l'autre monde.

On a franchi la petite barrière, et la rue n'avait pas changé à mes yeux. La couleur un peu violette de l'aube donne une teinte assez étrange aux choses, mais c'est tout. Les mêmes crevasses qui vous obligent à faire attention en marchant pour ne pas tomber dans un trou d'eau verte. Le même chien jaune qui doit s'appuyer contre un mur pour japper à cause de son extrême maigreur. La même petite fille en train de balayer, déjà à l'aube, la galerie de l'épicerie du coin. Une aube un peu fraîche.

— Le soleil va taper dur, tout à l'heure, vous verrez, me dit Lucrèce sans se retourner.

Il marche d'un bon pas en avant de moi.

LE PAIN

À la boulangerie du Perpétuel-Secours, au pied du morne Nelhio, les hommes sont en sueur. Ils ont commencé à travailler vers deux heures du matin. L'odeur du pain en train de cuire. Personne ne peut y résister. On s'arrête un moment. Lucrèce achète deux gros pains, et je remarque qu'il plonge sa main cailleuse dans son sac qu'il tient en bandoulière pour sortir des feuilles de thé avec lesquelles il paie. Au lieu de lui lancer les feuilles au visage, le boulanger les reçoit avec un certain recueillement. Lucrèce glisse tout de suite le pain dans son sac.

— C'est chaud qu'il est bon, dis-je.

Il continue son chemin, comme si je n'avais rien dit. Je le suis en silence. C'est ainsi que nous arrivons au pied du morne L'Hôpital.

— Je ne peux pas aller plus loin, dit-il… Vous devez continuer seul.

Maintenant, je sais qui était avec moi. Ce n'était pas Lucrèce, mais Legba. Legba, celui qui ouvre le chemin. C'est le premier dieu qu'on rencontre quand on pénètre dans l'autre monde.

BONJOUR

Je continue mon chemin, l'œil aux aguets, m'attendant à voir à chaque pas quelque chose d'inattendu, une forme mystérieuse quelconque. Rien de tout cela, à part cette légère poussière blanche que soulève un petit vent coquin. De temps en temps, je croise un âne chargé de calebasses, mais rien d'autre. Enfin, une petite maison sur la droite, sous un immense flamboyant. C'est une épicerie.

J'entre. Une énorme femme au visage souriant se tient derrière le comptoir.

— Bonjour, je fais.

Elle a souri un bref moment.

— Mon beau monsieur, dit-elle, il fait toujours ce temps.

— Ce qui fait ?

— Ce qui fait, ajoute-t-elle avec ce large sourire, qu'il n'y a que cette lumière.

Voyant que je ne comprends toujours pas.

— Donc, ici, il n'y a pas la différence du jour d'avec la nuit que vous avez là-bas…

C'est dans la Genèse : « Il y eut un matin, et il n'y eut plus jamais de soir. »

« BONNE ROUTE, PÈLERIN. »

— Hé, dit-elle, ça fait toujours plaisir de voir un client par ici…

— On dirait que ça fait longtemps que vous n'en avez pas vu un ? dis-je en regardant les étagères poussiéreuses.

— Il en passe de temps en temps, mais à vrai dire c'est rare… Sauf quand ils reviennent de Bombardopolis.

— Qui va à Bombardopolis ?

— Les gens d'ici, ils ont toujours pris l'habitude d'aller là-bas.

— Pourquoi vont-ils précisément à Bombardopolis ?

— Je ne sais pas, je n'y ai jamais été… Moi, je suis ici pour recevoir les nouveaux qui ne savent pas encore qu'on n'a plus besoin de manger. On a de la difficulté à se défaire de certaines habitudes. Alors, ils arrivent et me demandent un sandwich et une limonade. Tu comprends, je suis sur leur chemin.

— Donc, je suis sur la bonne route…

— À vrai dire, il n'y a pas de route.

— Alors comment fait-on ?

— On n'a qu'à marcher. Il n'y a qu'une seule route, c'est celle qu'on a choisie. Regarde-moi, je n'ai pas voulu aller plus loin, je me suis arrêtée ici, et j'ai installé cette épicerie en bordure de chemin, et personne ne m'a jamais demandé ce que je fais là ni quoi que ce soit d'autre.

— Est-ce qu'il y a d'autres boutiques ?

— Non, c'est la seule qu'il y a dans les parages… Remarque, je n'ai pas été très loin.

— Bon, je vous remercie… Combien vous dois-je ?

— Vous avez pris un sandwich et une limonade, alors c'est cinquante ogous.

— Excusez-moi, je n'ai pas cet argent, je ne sais pas d'ailleurs ce que c'est qu'un ogou.

— C'est l'argent d'ici. Vous me paierez quand vous pourrez. Ça ne presse pas. À vrai dire, jusqu'à présent, personne ne m'a jamais payée, ce qui fait que, moi-même, je n'ai jamais vu un ogou de mes yeux… Bonne route, pèlerin.

En y pensant, le ogou, c'est peut-être la feuille de thé dont s'est servi Legba pour payer le boulanger.

LE CHEMIN

Dehors, un ciel d'un bleu pur, mais la route toujours poussiéreuse. J'ai décidé, sans raison, de ne plus suivre ce qui semble être la route principale pour prendre ce sentier, sur ma gauche. Le chemin paraît plus accidenté, mais je n'ai plus cette poussière blanche qui me rentrait par la bouche et le nez. J'ai marché un bon kilomètre avant de comprendre ce qui vient de se passer. C'est qu'à n'importe quel moment on peut changer de route. J'aurais pu continuer longtemps à avaler cette poussière blanche, si je n'avais pris la décision de changer de direction, ou tout simplement de prendre un autre chemin moins poussié-reux. Qui m'obligeait à aller sur cette route poussiéreuse ? Personne. Qui m'empêchait de prendre le sentier par-fumé ? Personne. Pourtant j'acceptais comme un fait ac-compli cette situation intenable. Cette route déjà tracée, quoique poussiéreuse, semblait mener quelque part. C'était ça ma certitude jusqu'à ce que je comprenne que quel que soit le chemin pris, il nous mènera toujours quelque part.

LA FONTAINE

Je suis arrivé près d'une fontaine dans laquelle un groupe de jeunes filles rieuses sont en train de laver du linge blanc.

— Bonjour.

Elles éclatent de rire à l'unisson comme en ont l'habitude les très jeunes filles quand elles sont en groupe.

— Que faites-vous là ?

Le même rire à la fois intense et joyeux.

— Pourquoi riez-vous ainsi de moi ?

Finalement, l'une d'elles consent à me répondre.

— On vient ici laver notre robe.

En effet, chacune d'elles était en train de laver une seule robe blanche.

— Il y a une fête quelque part ? je demande.

Un rire plus guttural, un rien sarcastique. Du moins, c'est mon impression.

La même jeune fille me sourit.

— Vous allez où ?

— Je suis en visite, je réponds naïvement.

On dirait qu'un courant électrique leur a traversé le corps. Elles frétillent comme des anguilles hors de l'eau.

— Pourquoi riez-vous sans arrêt ?

Elles ont ri de nouveau. J'ai décidé de continuer mon chemin, vu qu'il n'y a aucune possibilité d'avoir une conversation avec elles.

OGOU, LE DIEU DU FEU

Un homme de grande taille, torse nu, en train de travailler devant une forge. Il active le feu avec un soufflet. Je m'arrête, un moment, pour le regarder. Il se tourne dans ma direction, me jetant ce terrifiant regard avant de retourner à son fer rouge.

— Vous avez vu ma fille ?

— Je ne peux pas dire, monsieur. (Suis-je la seule personne à avoir appelé un dieu monsieur ?) J'ai vu beaucoup de jeunes filles près de la fontaine.

Il éclate de rire.

— C'est Marinette.

Celle qu'on appelle Marinette aux jambes sèches.

— Elle t'a fait croire qu'il y avait plusieurs filles à la fontaine, continue-t-il. C'est sa plaisanterie favorite. Elle était sûrement en train de laver sa robe blanche pour la cérémonie de ce soir.

— Elle est très belle, votre fille…

— C'est la fille de sa mère. Elle n'a rien de moi, sauf mon nez. À part ça, c'est sa mère tout craché. Telle mère, telle fille aussi. Deux salopes… Et maintenant, jeune homme, j'ai à faire. Si tu veux converser, continue tout droit jusqu'au figuier, puis tourne à droite, et tu tomberas sur ma femme. Tu ne peux pas la manquer. D'ailleurs, elle se présentera à toi.

DES DIEUX DE CLASSE MOYENNE

C e n'est décidément pas l'enfer de Dante. Moi qui pensais tomber sur une pluie de formes étranges dans un monde bizarre, un univers si puissant, si gorgé de symboles, si complexe, qui m'aurait aidé, en nourrissant ma prose de détails juteux qui dépassent l'entendement humain, à faire face aux révélations de saint Jean ou à l'enfer de Dante. Au lieu de ça, j'ai à me mettre sous la dent les ricanements d'une déesse adolescente, et les lamentations d'un père, supposément le terrible Ogou Ferraille, qui m'a plutôt l'air d'un pauvre ouvrier pris jusqu'au cou dans des frustrations matrimoniales. Étais-je ici pour entendre un dieu me raconter ses misères avec sa femme ? Et surtout, est-ce avec ce ramassis de ragots petits-bourgeois que le vaudou compte faire face aux mystères du catholicisme ? Je ne veux pas le croire.

LE CHEMIN SANS FIN

Quand un dieu, ou simplement un paysan, vous dit que ce n'est pas bien loin, méfiez-vous. Leur conception de la distance diffère de la nôtre. Je ne sais pas si j'ai marché des jours ou des heures, ou même des années, puisqu'on est à l'échelle de l'éternité ici. En tout cas, j'ai, plus d'une fois en chemin, désespéré d'atteindre ce maudit figuier. Et quand je l'ai vu, au fur et à mesure que j'avançais vers lui, il reculait. Finalement, je l'ai atteint. Tout de suite après, j'ai trouvé le sentier sur ma droite dont Ogou m'avait parlé. Il y a tellement de lézards qui courent partout autour de moi qu'on pourrait baptiser ce coin le jardin aux lézards. Et au loin, à flanc de montagne, cette charmante maisonnette aux couleurs si chatoyantes qu'on la dirait tout droit sortie d'un tableau de peintre primitif. Je m'en approche pourtant craintivement. Soudain, on me prend par le cou.

— Que faites-vous chez moi ?

Je me retourne et la reconnais tout de suite.

— Je suis Erzulie Fréda Dahomey ou Erzulie Dantor, ça dépend si je veux blanche ou noire. L'amour ou la mort.

Je frémis légèrement.

— Comme ça, continue-t-elle, mon excellent mari t'a envoyé me dire bonjour…

Elle attrape un lézard et en fait une bouchée.

— Je suis en régime, explique-t-elle, je ne me nourris que de lézards, ces jours-ci… Comme ça, tu viens de voir Ogou, et il t'a envoyé me parler. Il a de ces délicates attentions pour sa chère épouse.

Elle me lâche enfin le cou et se met à danser autour de moi. Elle n'est pas grande, mais pleine d'énergie, et surtout très *sexy*. Une maîtresse femme, comme on dit ici.

— Je dois te dire que, depuis que ce cher Ogou ne bande plus, je suis obligée de trouver mes partenaires chez les mortels, et ils ne font pas le poids, naturellement. C'est que je peux baiser facilement tout un mois sans m'arrêter.

— Pour faire l'amour tout un mois, il faut…

— Écoutez, jeune homme, les humains font l'amour, mais les dieux baisent.

— D'accord, mais pour baiser un mois sans vous arrêter…

Elle a ce rire *crescendo*, légèrement hystérique.

— Je dis un mois comme ça, mais au fond je n'en sais rien, c'est peut-être un an ou plus, je ne sais pas compter à votre mesure. Je suis une illettrée. La seule chose que je peux te dire, c'est qu'à part Ogou, mon mari, aucun autre dieu ne peut suivre mon rythme.

Je sentis un nouveau frisson me parcourir l'échine.

— Quand je suis en rut, continue-t-elle, je peux consommer une quantité astronomique d'humains… Des hommes ou des femmes, je ne fais pas de différence.

Elle me prend par le cou, cette fois tendrement, et quand quelqu'un vous prend ainsi par le cou, dieu ou mortel, c'est qu'il a un petit service à vous demander.

— Qu'est-ce qu'il faisait?

— Qui ? demandé-je, un peu interloqué.

— Mais mon mari…

— Il travaillait.

— Ah bon… (Un temps…) Il travaillait… Et où était la petite pimbêche ?

— Qui ?

— Arrête de faire l'idiot… Où était ma fille ?

— Je l'ai rencontrée près de la fontaine.

— Et que faisait-elle là ?

Ses yeux devenaient de plus en plus rouges.

— Elle lavait.

— Je sais qu'elle lavait… Elle lavait quoi ?

— Je crois qu'elle lavait une robe blanche pour une cérémonie.

Un long silence.

— C'est tout ce que je voulais savoir. De toute façon, si ce vieux grigou t'a envoyé ici, c'est qu'il voulait que je le sache… Bon… Comme ça, il compte épouser sa fille… Ha ! ha ! hahahahahaha ! fait-elle en entrant dans la maisonnette.

Un étrange rire, un peu artificiel, qui me glace le sang. Je la regarde marcher de long en large dans ce petit salon encombré de babioles. Au mur, sur une grande serviette de bain rouge : une photo de Martin Luther King serrant la main de John Kennedy.

— Tu prends quelque chose ?

Elle n'attend pas ma réponse, sort une bouteille de cocktail de cerises d'une petite armoire couverte de poussières qu'elle tient fermée à clé.

— Je ne sais pas depuis combien de temps j'ai ce cocktail ici. On n'a pas souvent de la visite. Les gens d'ici préfèrent rester chez eux. Il n'y a que Zaka qui vient m'aider quelquefois…

Je regarde par la fenêtre pour voir un vieil homme en train de sarcler dans le jardin. C'est lui, Zaka, le dieu des paysans.

— Tu sais ce que tu vas faire ?... Tu vas retourner voir Ogou et, en lui parlant, tu t'arrangeras pour qu'il croit qu'on a couché ensemble.

— Mais ça ne lui fera ni chaud ni froid, puisque vous m'avez dit, vous-même, que...

— Oui, mais pas ici, pas dans le lit conjugal... C'est peut-être un dieu, mais c'est aussi un homme, tu vois ce que je veux dire...

— Si c'est un homme, je sais ce qui se passera.

— Alors, s'il s'en prend à toi, il aura affaire à moi...

— Oui, mais entre-temps...

— Si tu meurs pour moi, tu pourras venir habiter ici avec moi pour l'éternité, dit-elle avec des yeux de nuit.

Il faut que je pense très vite.

— Moi, si j'étais vous, j'irais plutôt reconquérir Ogou, ce qui serait facile pour vous puisque vous êtes bien plus belle, et surtout bien plus expérimentée que votre fille.

— Oui, mais elle est plus jeune.

— On m'avait dit que le temps n'existait pas ici...

— Pas pour ces choses-là, fait-elle d'un ton coquin.

— Oh ! c'est relatif alors ?

— Tout est relatif, mon chéri, fait-elle en s'avançant vers moi.

La voilà qui se met à faire danser ses hanches. Drôle de situation que d'être assis là, dans ce salon kitsch, à regarder Erzulie Fréda Dahomey, la plus terrible déesse de la cosmogonie vaudou, tentant de me séduire pour que j'aille piquer, avec l'arme de la jalousie, le cœur de son mari, Ogou Badagris ou Ogou Ferraille, l'intraitable dieu du feu et de la guerre.

— Vous êtes peut-être moins jeune, mais vous avez de plus belles jambes que votre fille qu'on surnomme Marinette aux jambes sèches.

Cette fois, je crois que j'ai fait mouche et qu'il n'y aura pas de cérémonie, plus tard. Mais, avant que tout éclate, il y a quelqu'un qui doit foutre le camp d'ici très vite.

LE RETOUR

Lucrèce m'attendait au pied du morne L'Hôpital.
— Quelle heure est-il ?

— C'est la première chose qu'ils demandent dès qu'ils reviennent de là-bas. Il doit être six heures. Vous êtes parti vers cinq heures et demie.

— J'ai à peine passé une demi-heure là-bas ?

— Aucun mortel ne peut rester là-bas plus d'une heure, mais votre voyage n'est pas terminé encore.

— On est où maintenant ?

Lucrèce ne répond pas.

— Êtes-vous Lucrèce ?

Aucune réponse à cette question non plus. On redescend en silence le morne Nelhio jusqu'à ma maison. Comme je m'apprêtais à franchir la barrière pour rentrer chez moi, je sentis cette main glacée sur mon épaule.

— Dès que vous franchirez cette barrière, vous tomberez dans l'autre monde.

— Et vous, dans quel monde vivez-vous ?

Silence. Je sors brusquement le petit miroir ovale que m'avait donné ma mère pour le placer en face de Lucrèce. Naturellement, pas de reflet.

— C'est bien ce que je pensais, dis-je avant de franchir calmement la barrière.

Je suis maintenant dans le monde réel, et je ne vois aucune différence avec le monde rêvé.

LE BOL DE SOUPE

Ma mère m'apporte un bol de soupe fumante.
— Bois, ça te donnera de la force.

Je prends quelques bonnes gorgées.

— Lucrèce est encore là ?

— Oui, dit ma mère, il est assis sur la galerie comme un pantin désarticulé.

— Ah ! dis-je en buvant de plus en plus avidement la soupe, il y a un bel os là-dedans.

— C'est un os de bœuf, ça donne du goût à la soupe.

— C'était très bon, maman.

Ma mère est partie, emportant le bol si propre qu'on dirait qu'il a été lavé. Le sourire radieux de ma mère.

CHUCHOTEMENTS

— **C**ommère ! dit la voisine à ma mère en chuchotant, tu me caches des choses...

Le ton n'est pas agressif. Je tends doucement l'oreille.

— Comment ça ! répond ma mère sur le même ton.

— J'ai une amie qui est venue me voir, hier soir. Elle est coiffeuse à Montréal et elle m'a dit qu'elle connaît bien ton fils.

— Et alors ?

— Attends, elle m'a dit aussi qu'il est très connu là-bas... (Elle baisse encore plus la voix...) Elle m'a dit que d'après ses calculs ton fils doit être millionnaire... Oui, c'est ce qu'elle m'a dit...

— Ah ! je ne suis pas au courant...

— Je te rapporte ce qu'elle m'a dit... Qu'il est sûrement millionnaire... Mais qu'est-ce qu'il fait là-bas ?

— Il est écrivain, dit ma mère.

Elle a cette moue méprisante.

— Ah bon !... C'est sûrement pas avec ça qu'il est devenu millionnaire. Moi, si j'étais toi, Marie, je mènerais ma petite enquête. Il doit y avoir de la drogue là-dessous.

— Sûrement, dit ma mère en se détachant doucement de la clôture de bayarondes rouillées qui sépare notre cour de celle de la voisine.

Ma mère partie, je me remets à la machine à écrire. Une lourde mangue vient de me frôler en tombant. L'écriture est un sport dangereux.

L'ENNUI

Lucrèce s'amène, le chapeau à la main, derrière le professeur J.-B. Romain. Tante Renée les suit avec une chaise qu'elle tend à Lucrèce qui l'offre au professeur.

— Bon, dit Lucrèce, je dois partir maintenant, j'ai une longue route devant moi.

— À bientôt, Lucrèce, lance le professeur qui se tourne en même temps vers moi avec son large sourire...

— Et alors ? me demande le professeur avec une pointe d'impatience dans la voix.

— Les dieux m'ont déçu.

— C'est ce que Lucrèce a cru comprendre... L'intuition paysanne...

— Oui, dis-je d'un ton las.

Le cri d'un oiseau, au loin.

— Qu'allez-vous faire ?

— Je vais faire mon livre malgré tout, mais je vous avertis que ce n'est pas avec ce ramassis d'anecdotes ternes, de clichés imbuvables que les dieux du vaudou se feront une réputation internationale. Je crois que dans mon cas ils auraient mieux fait de garder leur mystère.

— Non ! dit-il, rageusement... Ils ont bien fait, et c'est vous qui n'avez rien compris...

— Et qu'est-ce que je n'ai pas compris, professeur ?

— Vous n'avez rien compris... Si vous croyez que le catholicisme nous est supérieur...

— C'est vrai, ça, c'est ce que je crois, professeur.

— Et en quoi est-il plus fort ? En quoi l'histoire de Jésus mérite-t-elle plus d'attention que celle de Ogou ?

— Ce que je viens de voir là-bas, professeur, n'a pas de nom... Je suis tombé sur une stupide chicane de famille... Voilà tout.

— Et l'histoire de Jésus, elle est meilleure d'après vous ? C'est ça... hein ! l'histoire de cette famille dont le père est trop vieux visiblement pour avoir un enfant, la mère, cette toute jeune fille qu'on a mariée sûrement contre son gré à ce vieux barbon, un honnête travailleur, c'est sûr, mais ce n'était sûrement pas le rêve de cette toute jeune vierge, et le fils qui à trente ans vit encore chez ses parents...

— Oui, mais professeur...

— Alors qu'à côté de ça, là-bas au moins, ça vit, les sentiments sont poussés à l'extrême (l'amour, la jalousie, la mort), les couleurs sont aussi très vives (le noir, le rouge, le violet et le blanc étincelant)... Le sexe devient un fruit tropical qui pousse sur l'arbre humain... Je trouve, mon jeune ami, cette histoire bien plus palpitante que l'autre, celle de la famille de ce pauvre charpentier de Bethléem.

Je commence à chanceler un peu.

— Oui, dis-je, mais une vierge qui enfante, c'est pas mal…

— Bien sûr que c'est pas mal… Qui a dit le contraire ? Seulement, nous, ici, on a besoin d'un coup de main… J'ai pensé que ça vous intéresserait, vu que vous êtes un écrivain, enfin cette histoire de miroir ou celle de la mère et de la fille chassant le même homme, ou encore celle du temps infini.

— Oui, c'est amusant, mais je m'y attendais… J'étais quand même parmi les dieux… Je ne m'attendais pas à ce qu'ils se mettent à imiter Shakespeare…

— Là, vous avez tort, mon jeune ami, ce ne sont pas les dieux qui imitent Shakespeare, c'est Shakespeare qui imite les dieux… Il y a un poète qui a dit, une fois, que l'homme est un dieu tombé qui se souvient des cieux, peut-être que je ne cite pas exactement le vers, mais c'est à peu près l'essentiel… Et c'est tout à fait vrai. Ce qu'on oublie de dire, c'est que les rêveries des poètes sont souvent une explication scientifique de la réalité, réalité matérielle, physique, vulgaire…

Le professeur semble excité au plus haut point. Son esprit sautille comme un kangourou sur un terrain de football.

— Pourquoi vulgaire, professeur ?

— Je me rappelle, continue-t-il en levant les yeux vers le ciel, Dante parlant de Homère : « À tire d'ailes vole Homère au-dessus de nos têtes, il est le plus grand, car il est le poète de l'ordinaire, du quotidien et du terre à terre. » Tout ça pour dire que les poètes disent souvent la

stricte vérité. Quand le poète dit que l'homme se souvient
des cieux, ce n'est pas une parole en l'air, il veut dire que
si nous construisons des maisons ici, c'est parce qu'il y a
des maisons là-bas d'où il vient, que si nous offrons des
fleurs aux gens que nous aimons, ce n'est pas par hasard,
c'est parce que c'est ainsi qu'on fait là-bas, que si nous
écrivons, si nous faisons l'amour, si nous sommes jaloux,
ou si nous encombrons nos maisons de bibelots, c'est toujours parce que c'est comme ça qu'on vit là-bas. Donc,
cher ami (le ton du pasteur baptiste), Shakespeare imite les
dieux parce qu'il se souvient mieux que les autres
hommes de la vie qu'on mène là-bas... Remarquez, je ne
dis pas là-haut, là-haut est une vision erronée de l'autre
monde que le christianisme a contribué à populariser.

— Mais, justement, qu'avez-vous contre le christianisme que vous pourfendez de vos anathèmes ?

— Quoi ! s'exclame le professeur, je ne m'attendais
pas à une pareille question venant de vous, d'un natif-
natal, d'un fils d'Haïti-Thomas. Avez-vous oublié la campagne dite antisuperstitieuse de 1944, au cours de laquelle
l'Église a tenté de toutes ses forces de détruire le vaudou ?
Ils ont détruit les temples, fait mettre en prison tous les
hougans, déraciné les grands mapous, ces grands arbres
qui nous servaient de lieux de mémoire...

— S'ils ont fait tout ce que vous dites, comment
avez-vous pu survivre ?

— Par la ruse, mon ami. On a contourné l'ennemi.

— Comment ça ?

— On a fait des églises chrétiennes des temples du
vaudou... Ha ! ha ! hahahaha !... On a fait des saints chré-
tiens des dieux du vaudou... Ha ! haha ! hahaha... C'est
ainsi que saint Jacques est devenu Ogou Ferraille. Les prêtres catholiques nous voyant dans leurs églises croyaient

que nous avions abdiqué notre foi, alors que nous étions justement en train de rendre gloire, à notre façon, à Erzulie Dantor, à Erzulie Fréda Dahomey, à Papa Zaka, à Papa Legba, à Damballah Ouèdo… Tous ces dieux avaient insidieusement pris la forme et le visage des saints catholiques. Nous étions chez nous chez eux… Ha ! ha ! hahahahahahahahahahahahah !…

Un rire inextinguible.

— Et qu'est-ce qui se passe aujourd'hui ? Pourquoi tout ce branle-bas que je sens autour de moi, professeur ?

— Eh bien, notre réputation est au plus bas. Et nous demandons à tous les fils d'Haïti de faire un effort supplémentaire pour remettre à l'honneur nos racines et nos dieux…

— Je dois vous dire, professeur, que le mot *racines* d'où qu'il vienne me fait dresser les cheveux sur la tête. Si on le fait pour nous, pourquoi on l'interdirait aux Allemands, alors ?

— Ce n'est pas la même chose.

— C'est la réponse classique, ça… Ce n'est jamais la même chose quand il s'agit de nous. De toute façon, si ce sont de vrais dieux, ils n'ont pas besoin de moi, simple mortel…

— Ne dites pas ça, mon ami. Comment pensez-vous que l'Église catholique a pu imposer sa volonté au monde occidental, si ce n'est grâce aux Michel-Ange, Léonard de Vinci, et même Galilée d'une certaine manière, et je ne parle pas de l'Inquisition, des armes, de l'argent, des missionnaires et des salles de torture. Tous ces musiciens, poètes, peintres ont entonné la plus scandaleuse (dans les deux sens de l'expression) propagande de l'histoire humaine. Comme disent les jeunes gens, c'est rien que de la pub.

— Et vous en voulez pour vous ?

Le professeur J.-B. Romain fait furieusement oui de la tête.

— Et que dois-je faire ?

— Écoutez, c'est vous l'écrivain, vous savez sûrement quoi faire.

— Je vais dire la vérité, c'est ça qui m'intéresse…

— Du moment que vous parvenez à intéresser les autres à ce que vous racontez… Ça ne pourra jamais être plus terne que cette histoire du vieux charpentier qui apprend son métier à son fils…

— Ça a marché, pourtant, professeur.

— C'est vrai, dit le professeur avec un maigre sourire.

— Vous me demandez beaucoup… Fabriquer une nouvelle image aux dieux du vaudou… Pouvez-vous me garantir que les dieux seront à mes côtés ?

— Absolument.

— Je suis sûr, pour ma part, que Léonard de Vinci n'était pas comme on dit « seul » quand il peignait…

— Vous aurez une pareille assistance.

— Alors, je vais me mettre au travail.

— Bonne besogne ! me dit le professeur en se levant.

Juste au moment où il franchit la barrière, je l'ai reconnu à sa démarche ondulante, puisque Damballah le magnifique est toujours représenté par une couleuvre dans l'imagerie vaudouesque. Ce matin, il avait pris les traits de l'estimable professeur J.-B. Romain pour venir tenter, personnellement, de me convaincre d'écrire un livre sur ce curieux pays où personne ne porte de chapeau.

Pays réel/pays rêvé

Ou a mété toute moune dého ; jou lan mo rivé, cé
ou minm ka soti.

(Vous mettez tout le monde à la porte, mais le jour
de la mort, ce sera à votre tour de sortir.)

Un peintre primitif

Cette histoire est peut-être à l'origine de ce livre, et je ne sais pas pourquoi je la raconte. On ne devrait jamais ouvrir le ventre de la poule aux œufs d'or. Mais je suis de ceux qui préfèrent la viande à l'or. Alors elle vient cette histoire ?

Oui, tout de suite… Voilà… Cet homme habitait à côté de chez moi. Je passais mes journées entières avec lui. Il ne savait ni lire ni écrire. Il ne savait que peindre. Des paysages grandioses. Des fruits énormes. Une nature luxuriante. Des femmes droites, hiératiques, qui descendent des mornes avec d'énormes paniers de légumes sur leur tête. Il peignait aussi des animaux de la jungle équatoriale. Tout était toujours vert, abondant, joyeux. Ses toiles n'avaient jamais le temps de sécher. Des gens riches, instruits, venaient tout de suite les acheter.

Un jour, un journaliste du *New York Times* est arrivé.

— Baptiste, lui demanda-t-il, pourquoi peignez-vous toujours des paysages très verts, très riches, des arbres croulant sous les fruits lourds et mûrs, des gens souriants, alors qu'autour de vous, c'est la misère et la désolation ?

Moment de silence.

— Ce que je peins, c'est le pays que je rêve.

— Et le pays réel ?

— Le pays réel, monsieur, je n'ai pas besoin de le rêver.

Choix de critiques

« *Pays sans chapeau*, de Dany Laferrière : le plus puissant, le plus bouleversant de tous les livres de Laferrière. De la même mouture que *L'odeur du café*, mais encore plus fort. Vive l'écriture primitive ! »

Robert Chartrand, *Le Devoir*

« Avec un style unique, des yeux qui voient la vie et la décrivent avec une acuité telle que la manière, le style, le genre, l'allure du bouquin font de l'auteur Dany Laferrière un témoin à la fois passionné et imperturbable. Sûrement un des auteurs les plus captivants de la francophonie, car Dany n'écrit pas pour plaire à telle chapelle ou tel fragment de la société, mais livre un témoignage de la vie en Haïti, la perle des Antilles, devenue au fil des dictatures un pays de misère ensoleillée. »

Carmen Montessuit, *Journal de Montréal*

« L'écrivain a pris le parti de la naïveté pour décrire, avec l'originalité qu'on lui connaît, son retour aux sources. […] Voilà une promenade dans la patrie de Laferrière qui nous en met plein la vue de merveilleux, de drôlerie, de douce folie, mais qui, à chaque détour, nous montre en même temps, tout doucement, des êtres vivants qui le sont de moins en moins chaque jour. Chapeau ! »

Julie Sergent, *Le Devoir*

« De livre en livre, Dany Laferrière régresse. Il était, dans *Comment faire l'amour avec un Nègre sans se fatiguer*, moderne à mort, cultivant le scandale, la distance ironique. Le voici, dans son septième livre, revenu auprès de sa chère maman à Port-au-Prince, enfant prodigue repenti, fils dévoué, fils nourrisson, pratiquant le retour au pays natal de la façon la plus décidée, allant même jusqu'à rentrer dans les mythes locaux ou nationaux qui contredisent de la plus expresse façon la modernité, disons montréalaise. On n'ira pas voir un psychanalyse pour se faire expliquer ça. On lira un roman quasi autobiographique parfois un peu agaçant par sa naïveté voulue, le plus souvent attachant, étrange, déroutant : un des meilleurs que Dany Laferrière ait écrits. La régression, en littérature, n'est pas toujours une mauvaise idée. »

Gilles Marcotte, L'Actualité

« Laferrière, lui, a voulu redécouvrir l'Haïti non institutionnelle, l'Haïti de la poussière, de la misère, de la famine, de la mégalomanie où tout le monde, fait-il remarquer, rêve d'être président. Et surtout, un pays hautement métaphorique, où les habitants vivent dans la crainte constante de la mort, croyant dur comme fer que les cimetières sont hantés la nuit par une armée de zombis affairés à réveiller les morts. […] À une démarche aussi linéaire, à un pays où la sagesse passe par la simplicité ne pouvait coller qu'un style très dénué, style que Laferrière avait déjà développé dans L'odeur du café. En littérature, ça se traduit par une mosaïque de courts paragraphes, précédés de titres, qui sont autant de moments et d'émotions suggérés plus qu'épanchés. »

Louise Leduc, Le Devoir

« On vient tout juste de me poser la question : « Quel est l'ouvrage de la littérature québécoise ou canadienne que vous recommanderiez à un étranger qui veut comprendre ce qu'est le Québec ? » Pas facile. […] Ce serait plus facile si la question était : « Quel ouvrage recommanderiez-vous pour comprendre Haïti ? » Je recommanderais Pays sans chapeau, de Dany Laferrière. Et si la question était : « Quel ouvrage recommanderiez-vous comme modèle pour comprendre un pays, n'importe lequel ? » Je recommanderais aussi Pays sans chapeau, de Dany Laferrière. […] Dans ce livre-là, écrit sous un manguier, au fond d'une cour, dans un faubourg de Port-au-Prince, Laferrière n'avait pas à briller comme nègre. Il avait seulement à écrire. Dans ce livre-là, Laferrière n'est pas un nègre-écrivain. C'est, je crois, son premier livre d'écrivain tout court. »

Pierre Foglia, La Presse

CET OUVRAGE
COMPOSÉ EN TIMES CORPS 10 SUR 12
A ÉTÉ ACHEVÉ D'IMPRIMER
LE TRENTE OCTOBRE DEUX MILLE UN
PAR LES TRAVAILLEURS ET TRAVAILLEUSES
DE L'IMPRIMERIE GAUVIN LTÉE
À HULL
POUR LE COMPTE DE
LANCTÔT ÉDITEUR.

IMPRIMÉ AU QUÉBEC (CANADA).